Proloog

'Moet je nou al weer weg, pappa?' De twaalfjarige Paul keek zijn vader bijna smekend aan.

Evert Storm keek zijn zoon niet aan. 'De plicht roept,' zei hij luchtig. 'Doordat ik veel weg ben, hebben wij het nog vrij goed. Voldoende te eten en dergelijke. Ik kan vast wel weer aan een stel zijden kousen komen,' zei hij tegen zijn vrouw Stella.

Deze maakte een afwerend gebaar na de laatste woorden van haar man.

Paul keek verontrust naar zijn moeder. Zodra zijn vader dat zwarte uniform aantrok, werd hij voor zijn moeder een vreemde, had hij haar weleens horen zeggen. Paul wilde van ganser harte dat zijn vader dat uniform niet had. Evert Storm werd soms nageroepen, maar niet vaak, want de mensen waren bang voor hem. Dat waren de kinderen op school ook voor Paul. En dat kwam door zijn vader, wist Paul heel zeker. Men zei dat er mensen in de gevangenis zaten door toedoen van zijn vader. Men vertelde dat er joden waren opgepakt doordat Evert Storm hen had verraden. Paul begreep het niet, en hij kon het ook niet geloven. Hij was een keer mee geweest naar een bijeenkomst. Hij had er weinig van begrepen, maar de manier waarop de mannen daar met elkaar praatten, had hij niet prettig gevonden. En zijn moeder was erg boos geweest dat zijn vader hem had meegenomen.

'Dat jijzelf totaal verblind bent, daar kunnen we weinig meer aan veranderen, vrees ik. Maar je gaat Paul niet meeslepen op die weg. Dit alles leidt alleen maar tot ellende voor veel mensen, en op den duur ook voor ons. De oorlog loopt ten einde.'

'Voor die tijd zal Nederland verhongeren, maar wij zullen voldoende te eten hebben. Hoe komt dat?'

'Ik hoef geen eten dat daarvandaan komt.'

Evert bracht soms dingen mee, zoals biscuit en chocola. Paul had een en ander een keer meegenomen naar school om uit te delen. Maar dat was niet in goede aarde gevallen. De koekjes waren vertrapt en verkruimeld, en de chocola was weggegooid. Terwijl Paul zeker wist dat sommige kinderen dolgraag een stukje hadden willen hebben. Ze ontliepen Paul zo veel mogelijk. Hij kon uitstekend leren, maar hij was een eenzaam kind. Hij had er een keer met zijn moeder over gepraat. Haar antwoord was geweest: 'Zo voel ik me ook, Paul. Ik hoor nergens bij. Mensen durven nauwelijks tegen mij te praten, bang als ze zijn dat ik alles aan je vader vertel. En de anderen, de vrouwen van de zwarthemden, daar wil ik niet bij horen.'

'Waarom doet pappa dit? Hij is een vriend van de vijand zeggen ze.'

'Hij is verblind door de macht die die lui hebben. Ik hoop dat zijn ogen nog eens opengaan. Maar dan zal het voor ons te laat zijn.'

Op een avond in het begin van 1945 kwam Evert Storm niet thuis.

Paul merkte dat zijn moeder ongerust was. 'Hij is bij die zwarthemden toch veilig,' aarzelde hij.

'Hij moet ook zien thuis te komen. Er zijn al verschillenden van hen... Ach, laat ook maar. Ga maar naar bed, Paul.'

Maar Paul wilde zijn moeder niet alleen laten. Hij voelde dat er iets te gebeuren stond. Toen de brievenbus klepperde, rende hij erheen. Bij de voordeur bleef hij stokstijf staan. In de gang lag de pet van zijn vader. Er was een briefje aan gehecht. Paul hoefde dat briefje niet te lezen om te weten dat er iets verschrikkelijks was gebeurd. Tussen duim en wijsvinger nam hij de pet mee naar de kamer, en leverde hem af bij zijn moeder.

Stella deinsde achteruit op haar stoel.

Toen zag Paul het ook. Er zaten bloedvlekken op de pet.

Stella pakte het briefje en las het langzaam en hardop voor: 'We hebben de wereld van een monster bevrijd.'

'Wat bedoelen ze daarmee, mam?' Pauls stem sloeg over toen hij zijn moeders tranen zag. 'Ze hebben het toch niet over pappa?'

'Ik vrees van wel,' zei Stella, die op dat moment geen kans zag de gevoelens van haar zoon te sparen.

'Maar wat heeft hij dan gedaan? Wat is er met hem gebeurd? Komt hij nog terug? Hij kan ons toch niet zomaar in de steek laten.'

'Daar is hij al enkele jaren mee bezig.' Stella klonk verbitterd. Ze kon en mocht geen verdriet tonen. Evert was een verrader, en dat wist ze al heel lang. Dat ze desondanks van hem hield, begrepen de meeste mensen niet. Ze had echter nooit achter zijn keus gestaan. Maar het feit dat ze bij hem was gebleven, was ook een keus. Ze keek naar haar zoon, bij wie de tranen over de wangen liepen. Zou hij begrijpen dat zijn vader dood was? Dat ze hem waarschijnlijk in koelen bloede hadden vermoord? De mensen van het verzet streden voor een rechtvaardige zaak. Maar ze schoten iemand zonder eerlijke berechting neer. Ze beroofden een kind van zijn vader, een vrouw van haar echtgenoot.

'We zullen hier weg moeten,' zei ze langzaam. 'Iedereen kent ons hier. We worden nooit meer ergens geaccepteerd. Binnenkort is de oorlog afgelopen...'

Er kwamen echter eerst nog maanden van honger en ontbering. Vrij kort nadat Stella bericht had gekregen over Evert, kwam er iemand van de SS op bezoek.

'Uw man was een moedig mens. Wij respecteerden hem. U hoeft geen honger te lijden, mevrouw. Ik zal ervoor zorgen dat u een behoorlijk rantsoen krijgt.'

Stella weigerde niet. Wel bracht ze regelmatig wat voedsel naar haar buurvrouw, die twee kleine kinderen had. De vrouw accepteerde het met duidelijke tegenzin. 'Voor mij is dit besmet voedsel. Ik doe het alleen voor mijn kinderen,' zei ze een keer.

Via de SS hoorde Stella later dat Evert op die noodlottige avond was neergeschoten toen hij op zijn fiets stapte. De fiets was gevonden, maar het lichaam was spoorloos.

'Ze gunnen hem en ons niet eens een behoorlijke begrafenis,' zei Stella tegen haar zoon, met wie ze alles besprak.

Op de vijfde mei liet Stella zich niet buiten zien.

Paul ging wel op het feestgedruis af, maar hij was snel terug. Vuil, onder de modder en met een tand door zijn lip. Stella trok hem zwijgend tegen zich aan. Wat viel er te zeggen?

'Ik wil weten wat pappa heeft gedaan,' snikte de jongen. 'Ze schelden mij uit voor landverrader. Ik weet nergens van.'

Stella zuchtte. 'Wij hebben in ieder geval niets verkeerds gedaan. Jij zeker niet. Ik had niet bij hem moeten blijven. Maar ik kon hem niet in de steek laten, Paul. Ondanks de verkeerde keuzen die hij maakte, bleef ik van hem houden. Dat kunnen de mensen mij niet vergeven.'

'Heeft hij echt joden verraden, zodat ze werden opgepakt en meegenomen?'

'Ik vrees van wel, Paul. We zullen moeten verhuizen.'

'Omdat ze ons uitschelden.'

'Omdat we niet meer worden geaccepteerd.'

Paul begreep dat dit het enige verstandige was. Ze lieten hem op school links liggen. Hij werd nooit ergens gevraagd. Hij hoorde nergens meer bij.

Moeder en zoon vertrokken naar Rotterdam, waar Stella werk vond op een modeatelier. Na enige tijd was er ook een bovenwoning beschikbaar. In eerste instantie leek het goed te gaan. Men wist niets van hun verleden. Rotterdam was een grote stad, druk bezig met de wederopbouw.

Paul raakte echter zijn accent niet kwijt, ook al deed hij nog zo zijn best. Ze kwamen uit Overijssel, hadden in het grensgebied gewoond. Daar viel zijn uitspraak niet op, maar in Rotterdam was dat anders. Hij werd al snel met enige achterdocht bekeken. Hij bleef maar uitleggen dat hij echt Nederlander was. Dat ze in de grensstreek allemaal zo praatten. Gelukkig wist niemand iets van zijn vader.

Stella bemoeide zich op haar werk met niemand. Ze was bang voor vragen. Of ze niet getrouwd was. Of ze weduwe was. Ze kon er met niemand over praten en voelde zich daardoor erg eenzaam. Ze kreeg allerlei klachten en werd depressief.

Op een dag kwam ze niet thuis van haar werk. Paul maakte zich meteen vreselijk ongerust. Ze bleef nooit ergens hangen. Hij wist niet wat hij doen moest. De politie? Zijn moeder had zo vaak gezegd dat ze anoniem wilde blijven. Misschien was de naam Evert Storm hier ook wel bekend. Paul bleef de hele nacht in het donker in de kamer zitten.

De volgende morgen vroeg kwam de politie. De agent keek naar de tengere jongen en zag de angst in de bruine ogen. 'Mag ik binnenkomen?' vroeg hij vriendelijk.

'Is er iets met mijn moeder?' Pauls stem beefde.

De man ging zitten. 'Luister, jongen. Ik heb een erg vervelend bericht voor je. We hebben je moeder gevonden, dicht bij het station. Ze is een beetje in de war, en daarbij uitgedroogd en onderkoeld.'

'Leeft ze?'

'Nog wel. Maar je moet wel met me meegaan. Ze heeft te veel gedronken op een lege maag. Het gaat niet zo goed met haar.'

Paul ging in de politiewagen mee naar het ziekenhuis. Toen hij zijn moeder zag, zo mager en uitgeblust, begon hij te huilen.

'Nee, nee,' fluisterde zijn moeder. 'Het is niet erg. Het is echt niet erg.'

'Je laat mij alleen, en je vindt het niet erg,' stelde Paul vast. 'Wat moet ik nou?'

'Jij bent slim, Paul. Je kunt alles worden. Maar niet met een moeder die getrouwd was met een NSB'er. Je kunt naar opa en oma gaan. Zij houden van je. Je weet dat ze in de buurt van Zierikzee wonen. Je zult daar vrienden maken. Opa en oma zijn zeer gerespecteerd. Ze hadden onderduikers, en dat vergeten de mensen niet.'

'Ga jij dan ook mee daarheen,' drong Paul aan.

'Ik kan geen nieuw leven meer beginnen,' fluisterde Stella.

Ze lag nog twee weken in het ziekenhuis en overleed nog vrij onverwacht.

Pauls grootouders kwamen over om een en ander te regelen, en na de begrafenis ging Paul met hem mee. Hij kon met de beide mensen wel goed overweg, maar over zijn vader mocht niet worden gepraat.

'Ik heb mijn zoon verloren, maar ik mag niet rouwen,' zei oma eens. 'Ik moet me voor hem schamen.'

'Ik zou zo graag weten waarom hij zoiets deed,' zei Paul tegen zijn grootvader. Hij was toen vijftien jaar en midden in de puberteit, hoewel dat toen nog niet zo werd genoemd. 'Zou je er wat mee opschieten als je het wist?' vroeg zijn grootvader.

'Ik zou willen weten of ik dat ook in me heb, mensen verraden terwijl je weet dat ze hun ondergang tegemoetgaan.'

Pauls grootvader keek in de vriendelijke bruine ogen van zijn kleinzoon en schudde het hoofd. 'Jij niet,' zei hij stellig. 'En ik wil gewoon niet geloven dat je vader wist wat die mensen allemaal te wachten stond. Hij was verblind en verslaafd aan een gevoel van macht.'

'Hebt u er ooit met hem over gepraat?' vroeg Paul.

'Dat heb ik wel geprobeerd, maar hij reageerde er niet op. Hij moet erg eenzaam zijn geweest, Paul. Hij zat nu eenmaal in dat schuitje en moest varen.'

Paul wist hoe het was om je alleen te voelen. Behalve zijn grootouders had hij geen andere familie. Hij verlangde naar mensen om hem heen die van hem hielden. Mensen die zich niet terugtrokken wanneer ze hoorden wie zijn vader was geweest. En ze hoorden het altijd. Er was altijd wel iemand die vragen stelde.

Intussen rondde hij zijn hbo-opleiding met succes af. Al snel kreeg hij een baan in Rotterdam. Hij vond een eenvoudige kamer met gebruik van keuken; heen en weer reizen naar Zierikzee was wat omslachtig. Paul had nauwelijks vrienden. Hij sloot zich af voor contacten, bang als hij was dat zijn vader sprake zou komen.

Ten tijde van de watersnoodramp van 1953 was Paul net twintig. In de chaos van toen werkte hij samen met veel jongeren. Hij ontmoette mensen die de vreselijkste dingen hadden gezien en meegemaakt. Hij dacht daarbij aan zijn eigen ervaringen en vroeg zich af waar hij zich druk om maakte. Zijn vader was fout geweest in de oorlog. Maar was dat zijn schuld? Paul begon voorzichtig contacten te leggen. Hij kon goed luisteren en toonde veel begrip. En toen werd hij verliefd.

Noortje was een lang slank meisje dat bezig was aan een opleiding op de politieacademie. Ze ontmoetten elkaar regelmatig, en Paul had eindelijk het gevoel ergens bij te horen. Toen kwam hij erachter dat Noortjes vader in het verzet was omgekomen. Paul wist niet wat hij met deze informatie aan moest. Hun twee vaders – als ze elkaar hadden ontmoet, hadden ze als vijanden tegenover elkaar gestaan. Kon hij dit verzwijgen? Hij was bang Noortje te verliezen. Voortdurend hinkte hij op twee gedachten. Als hij het haar vertelde, wilde ze vast niets meer met hem te maken hebben. Maar als hij zweeg, en ze kwam erachter, maakte dat de zaak nog erger. In eerste instantie zei hij er niets over. Maar zijn verhouding met Noortje werd minder onbevangen. Toen ze op een avond samen waren, hield hij het niet langer vol. 'Denk je dat wij altijd bij elkaar blijven?' vroeg hij plompverloren.

'Daar heb ik nog niet bij stilgestaan. Wij vinden elkaar leuk. Toch?'

'Wel iets meer dan dat,' meende Paul.

'Ja, misschien wel. Maar afspraken maken voor altijd, dat gaat een beetje ver. Dan moet ik eerst even navragen of jij bijvoorbeeld geen crimineel verleden hebt.' Ze keek naar Paul, die ineens alle kleur uit zijn gezicht voelde weg trekken. 'Wat is er? Ben je een crimineel? Heb je een keer een pakje kauwgom meegepakt uit een winkel?' Ze lachte nog steeds, terwijl Paul vocht tegen zijn emoties. 'Wat is er nou?' Het meisje kwam naast hem zitten.

'Er is iets wat je moet weten,' zei hij langzaam.

Noortje fronste de wenkbrauwen. Zou er dan toch iets belangrijks zijn wat Paul verzwegen had. Ze had weleens het idee gehad dat er iets was, een bepaald geheim waar hij niet over wilde praten.

'Mijn vader was een NSB'er, een zwarthemd,' gooide hij er toen uit. Nadat hij het gezegd had, keek hij Noortje niet aan, bang om wat hij in haar ogen zou zien. Toen het echter stil bleef, waagde hij een snelle blik in haar richting.

Noortje zag nu ook bleek. Haar handen omknelden het koffiekopje alsof het een reddingsboei was. Eindelijk zei ze: 'Jouw vader had mijn vader kunnen vermoorden. Dat zou zomaar kunnen.'

'Dat is niet erg waarschijnlijk. Wij woonden in de oorlog in Overijssel.'

'Jij was waarschijnlijk te jong om met die lui mee te doen.'

Hij knikte. 'Toen mijn vader tot die beweging toetrad, was ik hem kwijt. Voorgoed. Hij is door iemand van het verzet vermoord. We hebben hem niet eens kunnen begraven.'

'Waarom ook? Hij was een schoft,' was Noortjes harde oordeel.

'Maar hij was wel mijn vader, en ik hield van hem. Ik kon niet trots op hem zijn zoals jij op de jouwe.'

'Je vader was een actief lid. Ze hebben hem niet voor niets omgebracht.'

'Dit hoeft tussen ons niets te veranderen. Ik heb niets met de daden van mijn vader te maken.'

'Toch denk ik niet dat ik hiermee leven kan. Het zal altijd tussen ons in staan,' zei Noortje langzaam. 'Jij moet altijd op je hoede zijn. Als mensen het te weten komen, kijken ze je met de nek aan. Zo wil ik niet leven.'

Ze bleven elkaar nog enige tijd zien, maar er was iets veranderd en op een dag zei Noortje dat het beter was als ze elkaar niet meer zouden ontmoeten.

Paul zette haar niet onder druk. Hij wist dat het voorbij was. Maar hij had het er moeilijk mee. Weer was er een deur dichtgeslagen, en was hij alleen.

Hij solliciteerde bij een architectenbureau in Middelburg en werd aangenomen. In deze stad was veel werk te doen. Het was een uitdaging mee te werken aan het herstel van de historische gebouwen. Hij vond een woning boven een winkel en ging het weekend vaak naar zijn grootouders. Ze hadden enkele evacuees te logeren gehad. Deze mensen waren nu terug naar hun dorpen om te helpen met de wederopbouw van de door het water verwoeste huizen.

Toen ontmoette Paul op een dag Clara Terschegge.

1

Voorjaar 1955. De mensen die op de welvarende boerderij van Terschegge woonden, leefden nog als kort na de oorlog. Van de moderne tijd, die ook in deze streek langzaam zijn intrede deed, merkten ze nauwelijks iets. Eigenaar Chris Terschegge dacht af en toe, zij het met tegenzin, aan een melkmachine. Vooral zijn oudste zoon Maarten zette hem op dat punt onder druk.

En dus zou die melkmachine er zeker komen, wist zijn vrouw Ditte. Maarten kreeg op den duur meestal zijn zin. Trouwens, wie wilde er nu nog met zijn neus onder een koe zitten als dat niet nodig was, dacht Ditte.

Maar zij was ook geen boerin, dacht Chris, niet voor de eerste keer. Nee, dan Koosje ... Zoals altijd wanneer hij aan zijn eerste vrouw dacht, keek hij naar Maarten, die zo op haar leek. Eenentwintig was die jongen nu, en hij zou het bedrijf later overnemen. Althans, dat was de bedoeling, hoewel Chris er soms niet helemaal zeker van was dat het werkelijk zou gebeuren.

Maarten wilde allerlei zaken moderniseren en mopperde soms over verouderde machines. Hij had het er ook al over gehad het grootste deel van de koeien te verkopen en een manege te beginnen. Of een kippenfokkerij. Daar zat veel meer toekomst in volgens hem. Maar wat een investering!

Goed, Chris Terschegge werd dan misschien als een rijke boer gezien, maar hij wilde niet arm eindigen. Aan de andere kant wilde hij zijn zoon wel tevreden houden. Want daar was ook nog de kwestie van een vrouw voor Maarten. De tijd was dan misschien voorbij dat ouders zich mengden in de keuze van hun zoon of dochter, maar Chris zelf had een voorbeeld bij de hand van hoe het niet moest. Na het overlijden van zijn eerste vrouw was hij met de tien jaar jongere Ditte getrouwd, die nog nooit een voet op een boerderij had gezet. 'Ze denkt dat je kippen kunt melken,' had zijn vader ooit spottend opgemerkt. Een feit was dat Ditte zich nooit bemoeide met het werk op de boerderij. Chris moest toegeven dat ze dat eerlijk had gezegd voordat ze trouwden. Maar dat ze boven een kamer als schildersatelier zou inrichten, had hij toch niet verwacht.

Samen hadden Ditte en Chris nog een dochter gekregen, maar Chris had soms het gevoel dat Clara veel meer Dittes kind was dan het zijne. Daarbij was het meisje in zijn ogen erg moeilijk, en kon hij niet goed met haar overweg. Clara voelde evenmin iets voor de boerderij. Ze had wel haar taak – soms het vee voederen, soms melken en ook wel helpen met onkruid wieden –, maar ze zei steeds vaker dat ze geen tijd had. De achttienjarige Clara zat op de hbs in Goes. Op zichzelf was dat best bijzonder. Het waren toch vooral kinderen uit de hogere kringen, die daar op school zaten. Maar ook daar kwam langzaam verandering in. Clara paste zich overal aan. Maar voor haar geen boerenzoon. Iemand die Maarten en hemzelf had kunnen helpen, zat er niet in.

Vandaag was Chris samen met zijn zoon bezig een aantal koeien naar een andere wei te brengen. Het was een mooie dag, en Chris keek met trots om zich heen. Zijn gebouwen lagen midden in het Zeeuwse land. Op een dag als vandaag, nu de meeste fruitbomen in bloei stonden en de leeuweriken hoog in de lucht hun lied zongen, was het een idyllisch plekje, maar in de winter, wanneer het ijzig koud was, en de landerijen vlak en kaal waren, of in de herfst, wanneer de wind om het huis gierde, kon het er ruig en somber zijn.

Maarten gaf een koe die de verkeerde kant uit wilde, een tikje. Toen zag hij Leandra aankomen.

Chris, die toevallig naar zijn zoon keek, zag diens gezicht

helderder worden en fronste onwillekeurig de wenkbrauwen.

Leandra was een apart meisje. Ze was in het laatste jaar van de oorlog, als kind van joodse ouders, bij hen gebracht. En ze was nooit meer weggegaan. Het was een donker, tenger meisje, een jaar ouder dan zijn eigen dochter Clara. Omdat er blijkbaar niemand was die haar miste, was ze gebleven, op aandringen van Ditte, maar zeer tegen de zin van zijn vader Leendert, die ook op het terrein woonde, in een apart huisje. Ditte was woedend geweest, en had hem gevraagd wat zijn trouwe kerkgang eigenlijk voorstelde. Werd hun niet geleerd de daklozen te huisvesten. Zijn vader had er weinig tegen kunnen inbrengen, temeer omdat een bezoek van de dominee hem nog eens duidelijk had gemaakt wat een goed werk hij ermee deed.

Terwijl Chris uit zijn ooghoek zag hoe Maarten het meisje tegemoet liep en de koffiekan van haar overnam, bedacht hij dat het beter zou zijn als Maarten wat meer zou uitgaan, waardoor hij met andere meisjes in aanraking zou komen. Want Leandra Rosenthal was zeker niet geschikt als vrouw van een boer, evenmin als Ditte van Langeveld, dacht hij er cynisch achteraan.

Leandra kon wel heel goed met de dieren omgaan. Misschien was zij wel degene die over een manege was begonnen, schoot Chris opeens te binnen. Hij keek naar de twee en zag de snelle gebaren van Leandra's handen. Leandra praatte namelijk niet. Chris had haar nog nooit een woord horen zeggen. Ze was negen jaar geweest toen ze in hun gezin kwam. Volgens degene die haar afleverde, kon ze uitstekend uit haar woorden komen. Maar ze had gezien hoe haar vijf jaar oudere broer werd weggevoerd, waarbij weinig zachtzinnig met hem werd omgegaan. Sindsdien had Leandra geen woord meer gezegd.

Ditte had indertijd via de kerk over het meisje gehoord, en had haar hulp aangeboden. Het zou maar voor tijdelijk zijn. Intussen woonde Leandra al tien jaar bij hen. Ze ging samen met Clara naar school. Ze was intelligent en leergierig. Dat ze niet praatte, was minder een handicap gebleken dan ze eerst hadden gedacht. In ieder geval konden Maarten en zij uitstekend communiceren. Chris begon echter te vrezen dat ze nooit meer weg zou gaan.

De laatste keer dat de dominee bij hen op bezoek kwam, had hij gezegd: 'Het is een voorbeeld voor velen dat u dit kind een thuis hebt gegeven.'

'Wat moeten we anders,' had Chris' vader later opgemerkt. 'We zitten met haar opgescheept.'

'Net als met u,' had Ditte scherp gereageerd.

Chris' vader woonde bij hen sinds zijn vrouw was overleden. Hij had zijn eigen spul verkocht. Hij was tenslotte al vijfenzestig. Nu werkte hij mee in het bedrijf van zijn zoon.

'Hij speelt de baas en doet alsof alles hier van hem is,' zei Ditte soms. Ze had wel een beetje gelijk, maar er zat ook veel geld van zijn vader in het bedrijf. En Chris kon zijn hulp ook niet missen. Maar Ditte en zijn vader, dat ging niet goed samen. Trouwens, vroeg Chris zich af, met wie kon zijn vader eigenlijk wel goed opschieten? In zijn ogen alleen met de paarden, en dan vooral met het rijpaard Thirza. Leendert reed regelmatig voor zijn plezier, wat je de boeren hier niet vaak zag doen. Met zijn kleindochter Clara ging het ook vaak mis, om over Leandra maar te zwijgen. Maar ruzie kreeg hij niet met de laatste. Dat was nog een voordeel van haar zwijgzaamheid.

Waren die twee nu nog niet uitgepraat? 'Maarten, er moet vandaag nog meer gebeuren,' zei hij met enige stemverheffing.

Leandra keek zijn richting uit. De blik in haar donkere

ogen was tamelijk ongeïnteresseerd. Dan gooide ze haar vlechten naar achteren, glimlachte naar Maarten en ging weg.

Maarten kwam met de koffiekan en twee koppen zonder oor zijn richting uit.

'Ik zou willen dat ik eens met haar kon praten, zodat ik haar duidelijk kon maken wat ze aan ons te danken heeft,' zei Chris. Hij sloot het hek achter de laatste koe, zette zich in de berm en schonk de mokken vol.

'Ze begrijpt alles wat je zegt,' antwoordde Maarten kort-af.

'Ik kan niet met iemand praten die me alleen maar aankijkt en geen woord terugzegt.'

'Als je niet meer weet te zeggen dan dat ze dankbaar moet zijn, kun je ook maar beter je mond houden,' reageerde Maarten korzelig.

'Nou, het is de waarheid. We hebben haar leven gered door haar in huis te nemen. We namen een groot risico.'

'Dat laatste viel wel mee. Er werden hier geen razzia's gehouden. En dat laatste jaar is ze nauwelijks buiten geweest.'

'Je kunt dat nu wel bagatelliseren...'

'Dat doe ik niet, pa. Het was een heldendaad.'

Chris wierp een snelle blik op zijn zoon. Spotte hij nu met hem?

'Het is alleen zo jammer dat grootvader en jij haar zo duidelijk laten merken dat jullie haar niet moeten.'

'Dat is veel te sterk uitgedrukt.'

'Hm. Je wilt eigenlijk dat ik mij niet met haar bemoei.'

Chris zuchtte. 'Je bent bijna tweeëntwintig. Ik zou willen dat je eens een aardig meisje vond. Een meisje die zich thuis voelt op de boerderij. Neem bijvoorbeeld Nelia Caspers.'

'Vader! Alsjeblieft, zeg. Dat is een kenau.'

'Op een boerderij heb je een flinke vrouw nodig. Je weet net zo goed als ik dat Ditte, wat dat aangaat, niet veel klaarspeelt.'

Maarten stond op en begon terug te lopen naar de boerderij. Hij wist al wat zijn vader wilde zeggen. Ditte was niet geschikt als vrouw van een boer. En zoiets gaf alleen maar problemen. Maarten wist niet zeker of zijn ouders echt problemen hadden. Als dat al zo was, werd hij er in ieder geval niet in gemengd. Hij stapte stevig door. In de verte zag hij Leandra lopen. Die maakte geen haast, droomster die ze was. Hij kon haar maar beter niet inhalen, want dan had zijn vader daar weer commentaar op.

Chris deed de koffiespullen in het blauwgeruite zakje en volgde op zijn gemak. In de verte zag hij zijn vader bezig op het tarweveld. Die man was onvermoeibaar. Hij was natuurlijk ook nog niet zo oud. Maar sommigen waren omstreeks hun vijfenzestigste toch echt op. Hun hele leven harde lichamelijke arbeid verricht. 'Als ik stil ga zitten, ga ik jaren eerder dood,' zei Leendert soms. 'Daar is mijn lichaam niet voor gemaakt.'

Ja, zijn vader was een harde werker. Het was jammer dat hij zo weinig goede woorden overhad voor Chris en zijn gezin. Hij bleef kleinerende opmerkingen maken tegen Ditte. Over haar kleding, over haar geklieder met verf en over hetgeen ze als maaltijd op tafel zette, terwijl Ditte altijd smakelijke maaltijden bereidde. Ze maakte alleen weinig gebruik van spek en vet vlees. Peulvruchten en koolsoorten kwamen evenmin vaak op tafel. Ditte kwam nu eenmaal uit een heel ander soort gezin dan hijzelf. Haar moeder was lerares Frans geweest, en haar vader gaf nog steeds muziekles. Het was een beetje een aparte figuur, met zijn snor en zijn eeuwige pijp. Ditte was dol op haar vader.

Ze zag hem alleen weinig. Hij zat ook vaak in het buitenland. En op de boerderij had hij al helemaal niets te zoeken. Ditte! Chris bleef plotseling staan en leunde tegen een hek. Ditte had hem betoverd met haar vrolijke aard en haar lieve gezichtje. Veel mensen hadden hun bedenkingen geuit toen bleek dat hij met haar wilde trouwen. Het meisje paste niet bij hem. Ze was niet alleen te jong, maar ze wist ook niets van het boerenleven. Ze wilde er ook zo weinig mogelijk mee te maken hebben, was later gebleken. Veel te kort na het overlijden van Koosje was hij met haar getrouwd. Maar hij had een moeder nodig voor Maarten. En een tijdje was het verdriet om zijn eerste vrouw naar de achtergrond gedrongen. Ditte was een lieve moeder voor Maarten, en later ook voor de meisjes. Ze was zonder meer een lieve vrouw. Maar ze ging haar eigen gang. Ze weigerde mee te werken op de boerderij. Ze wilde dat hij een werkster nam, want ze wilde tijd voor zichzelf. Misschien was hetgeen ze schilderde, best aardig, maar ze besteedde er wel veel tijd aan. De laatste tijd had ze het zelfs over een expositie. Nou, daar zou hij niet aan meewerken.

Toch moest hij eens met haar praten over Maarten. Wat vond zij ervan dat hij wel erg veel met Leandra optrok? Chris wist ook wel dat hij het meisje niet zomaar op straat kon zetten. Maar om nu voor de rest van hun leven met haar opgescheept te zitten... Leandra bleef toch een vreemde in zijn ogen. Temeer daar je niet met haar kon praten. Althans niet op een normale manier. Misschien moest ze nog eens naar een dokter, hoewel er meer dan eens was gezegd dat Leandra lichamelijk niets mankeerde. Misschien moest ze naar zo'n andere vent, zo'n psychiater. Hij had daar wel eens over gelezen. Van die dokters die je hele leven uitplozen. Maar Chris vond dat geen prettige gedachte. Dergelijke dokters werkten immers ook in inrichtingen voor geesteszieken. En Leandra was niet ziek. Ze was alleen opgehouden met praten en wist niet hoe ze opnieuw moest beginnen. Dat waren zijn gedachten daarover.

Chris begon het land op te lopen in de richting van zijn vader. De man had al enkele malen zijn kant op gekeken. Na het eten zou hij met Ditte praten. Zijn vader trok zich na het eten meestal terug in zijn eigen vertrek. Met hem in de buurt kon hij geen gesprek met Ditte hebben. Hij zou zich er voortdurend mee bemoeien. Toen hij bij zijn vader kwam, zei deze: 'De schoffel ligt ginds. We zouden gelijk op werken. Zwaar werk, die koeien?'

'Soms moet een mens de tijd nemen om na te denken,' zei Chris kalm.

'En wat heeft dat denken opgeleverd?' vroeg Leendert.

Zijn zoon ging er niet op in, maar liep naar de plaats waar de andere schoffel lag. Al wat hij had overdacht, was volgens zijn vader nutteloos. Dat wist Chris nu al.

Ditte deed haar verfschort af en liep wat achteruit om haar laatste product van een afstand te bekijken. Ze had geschilderd wat ze door het raam zag, en dat was een lappendeken van veel tinten groen, wat hekwerk en enkele vage vlekken waarin je met wat verbeeldingskracht misschien koeien kon zien. Een kleine boerderij in de verte voltooide het geheel. Een landelijk tafereeltje, niets bijzonders, simpel geschilderd. Maar ze had het met veel plezier gemaakt. Ze zou het Leendert voor zijn verjaardag kunnen geven. Bij die gedachte lachte ze bijna hardop. Hij zou het zeker niet waarderen. Ze zou hem meer plezier doen met een doos sigaren. Ditte ging wat dichter naar het raam. Op het land zag ze Chris en zijn vader bezig. Ze kon hen van deze afstand nauwelijks herkennen, maar ze wist dat zij het waren. Dichter bij huis zag ze Maarten en Leandra. Maarten schoffelde wat in de groentetuin, terwijl het meisje op de bank zat en de laatste winterwortelen schrapte. Hutspot vanavond. Maar geen spek voor haar. Om discussie te voorkomen had ze voor zichzelf een beetje apart gehouden.

Ditte treuzelde even voor de grote spiegel. Ze droeg een gemakkelijke jurk zonder mouwen, met een brede ceintuur. De lichte tint van de jurk stond goed bij haar donkere krullen. Er zat een verfvlek op, zag ze nu. Ze nam echter niet de moeite zich te verkleden. Er was toch niemand die het zag. Soms kreeg ze de neiging iets baldadigs te doen. Aan tafel gaan zitten met een grote flaphoed van haar vader op haar hoofd bijvoorbeeld. Ze grinnikte. Ze was allang opgehouden met alle kleine grapjes. Ze gedroeg zich niet volwassen, had Chris weleens gezegd. Ze was net achtendertig jaar geworden. Ze wilde zich niet als een juffrouw van middelbare leeftijd gedragen. Ze wilde jong zijn en uit de band springen. Maar ze moest netjes in het gareel lopen. Want er woonden ook nog twee meisjes hier, en zij werd geacht het goede voorbeeld te geven. In plaats van naar beneden te gaan ging ze in de brede vensterbank zitten. Het was nog lang geen tijd om te gaan koken. Als ze naar beneden ging, voelde ze zich geroepen iets huishoudelijks te gaan doen. Ze leunde met haar hoofd tegen het raam en sloot de ogen. Ze dacht aan de woorden van haar vader, die de laatste keer had gevraagd: 'Ben je wel gelukkig, Ditte? Ik had een heel ander leven voor jou in gedachten.' Zijzelf vroeger ook. Maar dat waren dromen. Meisjesdromen. En hoewel ze zich niet zo bedaagd voelde als Chris, een meisje was ze niet meer. Ze was een meisje geweest toen ze met de jonge blonde boer ging trouwen. Nauwelijks negentien jaar. Clara was nu achttien. Het idee dat haar dochter zou trouwen, was belachelijk. Maar toch had zij het op die jonge leeftijd gedaan. Ze was als een blok voor Chris gevallen, met de optimistische gedachte dat ze het verdriet in zijn ogen kon wegnemen. Dat was ijdele hoop gebleken. Hij koesterde nog steeds zijn ideaalbeeld Koosje, terwijl hij maar een jaar met haar getrouwd was geweest. Hoe kon hij in die korte tijd al weten hoe geweldig ze was. En hoe volmaakt zij vrijwel zeker zou worden. Ditte zuchtte. Ze had haar best gedaan. Maar het was niet genoeg geweest om Chris' liefde en waardering te krijgen.

In het begin was hij verliefd geweest. Hij had zich laten vertederen door haar omgang met Maarten. Door haar grapjes. Hij bewonderde haar onafhankelijkheid. Maar al gauw waren er irritaties gekomen. Omdat ze niet wilde meewerken op het land. Omdat ze weigerde te leren melken. Omdat ze zich bezighield met schilderen. Toen Clara was geboren, had hij deze kamer voor haar ingericht. Misschien zou alles beter zijn gegaan als Leendert hier niet was komen wonen; Chris liet zich door hem beïnvloeden. En als hij Koosje eindelijk kon loslaten. Want die woonde hier eigenlijk ook nog. Nu al zo'n twintig jaar. Zo'n flinke boerendochter die alles aanpakte. Die tot het laatst van haar zwangerschap bleef meewerken. En die zonder een kik te geven haar kind ter wereld bracht en enkele uren later even zwijgend deze wereld verliet.

Ditte had zich zeker niet stil gehouden toen Clara werd geboren. Later had Leendert gezegd dat ze hadden getwijfeld of ze de dokter wel moesten waarschuwen. Hij zou toch wel op haar geschreeuw afgekomen zijn. Dittes ogen waren donker. Ze kon zich er nog boos om maken. Wat wist zo'n kerel ervan. Hij was er zelfs niet bij geweest toen zijn eigen zoon Chris geboren werd.

Ditte slaakte opnieuw een zucht. Hoe kwam ze erop deze gebeurtenissen opnieuw te beleven? Het had ermee te maken dat ze niet als volwaardig werd gezien. En of ze al dacht: ik zal iedereen nog eens versteld doen staan, ze zou niet weten hoe. De dingen die zij deed, waren voor de boerderij van geen enkel belang. Want Koosje... Soms vroeg ze zich af of ze eigenlijk nog wel van Chris hield. Maar wat als dat niet zo was? Ze kon niet voor zichzelf zorgen. De meisjes volgden nu een opleiding, maar die kans had zij nooit gehad. Behalve dan de algemene ontwikkeling die ze van haar ouders had meegekregen. Ze glimlachte en stond op. Zij had bagage, had haar vader gezegd. Die kon niemand haar afnemen.

Die avond waren ze allemaal thuis. Leendert at als gewoonlijk met hen mee. Daarna vertrok hij meestal naar zijn eigen kamer, waar hij de krant las en naar de radio luisterde. Er werd veelal gezwegen. Thuis werd er vroeger tijdens de maaltijd juist veel gepraat, herinnerde Ditte zich. Dat was zo'n beetje het hoogtepunt van de dag geweest.

'Heeft er iemand een vergrootglas?' vroeg Leendert plotseling.

Ze keken hem allemaal aan.

'Wat moet je met een vergrootglas?' vroeg Chris, die al half opstond.

'Om de stukjes spek op te sporen die je toch zou verwachten in hutspot.' Leendert grinnikte.

Chris ging weer zitten. Ook hij lachte.

Ditte wierp hem een woedende blik toe. 'Wil je er soms een half varken in?' vroeg ze scherp.

'Een mens moet stevige kost eten om het werk te kunnen doen dat wij doen,' beweerde Leendert.

'Ik heb me nog nooit hongerig of zwak gevoeld,' zei Maarten nu.

'Nou, wees daar dan maar dankbaar voor. Het is nog maar de vraag of je voldoende reserves hebt als er weer oorlog komt.'

Leandra maakte nu een geluidje dat het midden hield tussen een zucht en een zwak gekreun. Iedereen keek naar haar, want Leandra liet zich nooit horen. Ze keek met grote ogen van de een naar de ander.

'Er komt geen oorlog,' zei Maarten. Hij legde even zijn hand op de hare.

'Daar zou ik maar niet te zeker van zijn. Als de Russen ons gaan bezetten, worden we allemaal afgevoerd naar Siberië.'

'Wees toch niet altijd zo'n onheilsprofeet,' viel Maarten uit, met een boze blik naar zijn grootvader.

'Je kunt in de Bijbel lezen wat we allemaal kunnen verwachten aan onheil,' antwoordde Leendert plechtig.

'Staat er ook een datum bij?' liet Ditte zich eindelijk horen.

'Je praat oneerbiedig over de Bijbel,' repliceerde haar schoonvader. 'Dat zou Koosje nooit gedaan hebben,' verwachtte Ditte, maar dat kwam niet. Gelukkig maar, want dan zou ze misschien dingen zeggen waardoor er een echte ruzie ontstond. Zoiets begon dan met een onschuldig lijkende opmerking over de hutspot.

Ditte keek naar Leandra, die haar bord opzijgeschoven had. Alleen al door het woord 'oorlog' kon ze geen hap meer door haar keel krijgen, begreep Ditte. Kon het meisje er maar over praten. Kon ze hun maar vertellen wat er precies gebeurd was waardoor ze voorgoed was gaan zwijgen. Misschien moesten ze nog eens contact proberen te zoeken met de vrouw die haar hier had gebracht. Ze hadden wel zo hier en daar geïnformeerd, maar daar was nog niets uit gekomen. Ze wisten alleen dat de mensen in Rotterdam hadden gewoond. Ze moest er nog maar eens met Chris over praten. Of met Maarten. Hij zou misschien wegen weten te vinden om die mensen op te sporen.

Ditte begon de tafel af te ruimen en zag dat de schaal van de hutspot zo goed als leeg was. Ook zonder al te veel spek was het blijkbaar goed te eten, bedacht ze. Ze zei echter niets, want ze wilde niet opnieuw in een discussie belanden. Ze zette de schaal met karnemelkse pap op tafel, evenals de stroop en de bruine suiker. Vragend keek ze naar Leandra, maar die schudde het hoofd.

'En ze is al zo'n scharminkel,' zei Leendert, die altijd over Leandra praatte alsof ze er niet bij was.

'Houd toch eens op,' bromde Maarten.

Hij nam Leandra steeds vaker in bescherming, dacht Ditte. Een feit dat Clara vreselijk ergerde. Stel dat hij verliefd was op het meisje. Lieve help, dat zou een soort oproer teweegbrengen. En eerlijk gezegd, zijzelf zou daar ook niet enthousiast over zijn. Vooral uit medelijden met het meisje, dat evenmin als zijzelf geschikt was als vrouw van een boer.

Even later verdwenen de mannen naar de kamer. Chris en zijn vader zouden daar nog een sigaar roken voordat Leendert naar zijn eigen afdeling verdween. Haar dochter verdween naar boven om huiswerk te maken, en Leandra hielp haar met de afwas. Clara hielp ook weleens, een enkele keer, zij het niet zonder protest, maar Leandra liet nooit iets van onwil blijken. Ditte zuchtte. Haar lieve Claartje was het laatste jaar veranderd in een onhebbelijk schepsel dat alles kritiseerde en bij alles wat haar moeder zei, geïrriteerd met haar ogen rolde. En ze was niet alleen onmogelijk tegen haar, maar vooral tegen Leandra. Die was heel gemakkelijk in de omgang, en dat bracht Clara er weer toe te beweren dat ze ieders lievelingetje was.

Ditte zag aan het meisje dat ze met haar gedachten ver weg was. 'Ik heb eens gelezen dat je, als er iets is wat je heel erg dwarszit, dat moet opschrijven. Dat schijnt te helpen,' zei ze. 'Waarom probeer je het niet. Ik zou willen dat ik iets voor je kon doen, maar ik weet het gewoon niet.' Ditte merkte dat ze in ieder geval de aandacht van Leandra had. 'Je hoeft het aan niemand te laten lezen, al mag dat natuurlijk wel,' zei ze nog. Ze wilde eerst Maarten noemen, maar deed dat toch maar niet. Ze zag Leandra als in gedachten knikken. Misschien vond ze het wel een goed idee.

Na de afwas ging het meisje regelrecht naar boven. Toen Ditte in de kamer kwam, zat Chris daar alleen. Maarten was naar de avondschool. Hij reed dan met een stel jongens mee die dezelfde opleiding volgden.

Chris legde zijn krant neer en keek haar aan. 'We moeten eens praten,' zei hij.

O, lieve help, hij zou toch niet weer beginnen over haar schilderen, en wat een zinloze bezigheid dat was.

'In de eerste plaats: ik sprak Mien Caspers. Ze zijn bezig een bazar te organiseren om geld in te zamelen voor een nieuw orgel in de kerk. Ze vroeg of jij ook in een kraam wilde staan, bijvoorbeeld bij het oliebollen bakken.

'Waarom vroeg ze dat niet aan mij?' informeerde Ditte.

'Ze had je de laatste twee keer gemist op de vrouwenvereniging. Daar is alles besproken.'

De opmerking bleef even tussen hen in hangen.

'Ik was van plan daarmee te stoppen,' zei Ditte dan.

'Waarom? Het is toch gezellig, zo met vrouwen onder elkaar.'

'Denk je? Nou, mij kan het niet boeien.'

'O, Ditte, waarom plaats jij je altijd zo buiten de gemeenschap?'

'Zeg haar maar dat ik wat aquarellen zal leveren voor de verkoop.'

Chris zei niet wat hij dacht, namelijk dat daar weinig interesse voor zou zijn. En erop aandringen dat ze in die vrouwengroep zou blijven, had al evenmin zin. Ditte deed toch wat ze zelf wilde.

'Er is nog iets anders. Ik krijg de indruk dat Leandra mijn zoon niet onverschillig laat,' zei hij dan plompverloren. 'Als ik gelijk heb, moeten we daar een stokje voor steken.'

'Het lijkt mij ook geen ideale verbintenis,' gaf Ditte toe.

Chris keek haar aan. Dit antwoord had hij niet verwacht. 'Wat kunnen we doen? Een ander thuis zoeken voor Leandra zal niet gemakkelijk zijn.'

'Dat zal ook niet gebeuren. We gaan haar niet op straat zetten,' antwoordde Ditte kalm.

'Wie heeft het daarover?'

'Daar komt het wel op neer. Je weet heel goed dat er geen ander adres is waar Leandra terecht kan. Ze is kwetsbaar doordat ze niet praat.'

'Misschien hebben we dat te lang geaccepteerd. We weten dat er niets aan haar stembanden mankeert,' zei Chris.

'Niemand kan haar dwingen te praten,' zei Ditte stellig.

'Maar jij vindt het toch ook geen goed idee als Maarten en zij iets zouden hebben samen.'

'Ik moet er inderdaad niet aan denken dat Leandra net zo weinig vrijheid zou krijgen als ik. Zij wil dierenarts worden. Als ze met Maarten trouwt, komt ze niet verder dan deze boerderij.'

'Ik had het kunnen weten,' zei Chris bitter. 'Terwijl jij meer vrijheid hebt – of liever: neemt – dan welke vrouw hier in de buurt ook.'

Ditte zei eerst niets. Deze discussie was al te vaak gevoerd. 'Misschien moeten we eens naar een psychiater,' flapte ze er dan toch uit.

Chris hief zijn hand op alsof hij iemand om hulp riep.

'Wij kunnen niet samen praten,' zei ze ten overvloede.

'Jij wilt altijd praten,' reageerde hij kriegel.

'Praten is beter dan poetsen,' zei ze prompt.

'O, Ditte,' zuchtte hij, 'nu probeer ik met je te praten, maar jij valt me steeds in de rede of begint over iets anders. Ik vind dat wij een oplossing moeten zoeken voor Leandra voordat het te laat is.'

'Dat klinkt nogal dramatisch. Als die twee echt verliefd zijn, wie zal hen dan tegenhouden? Wie hield ons indertijd tegen, al had dat beter wel kunnen gebeuren?' Ditte glimlachte triest.

Chris verkoos dat laatste maar te negeren. Hij wist dat het huwelijk Ditte niet had gebracht wat ze gehoopt had. Maar dat gold ook voor hemzelf.

'Ik vind dat jij zelf maar met Maarten moet praten als jij je ongerust maakt over die twee,' zei ze.

'Ik vind dat hij op zaterdag wat vaker naar het dorp moet gaan. Ik zag dat meisje van Caspers. Nelia heet ze. Ik dacht bij mezelf...'

'O, Chris, wil je koppelen?'

'Ze zouden elkaar toevallig kunnen tegenkomen. Als zij ook naar het dorp gaat...'

'Zou je echt willen dat Nelia Caspers je schoondochter wordt?' vroeg ze nieuwsgierig.

'Ze weet van aanpakken. En hoe belangrijk dat is op een boerderij, weet ik uit ervaring. Als ik aan Koosje denk...'

Dittes ogen leken een tint donkerder te worden. 'Ja, denk jij nog eens aan Koosje. Kun je nooit vergeten hoe ze was, of hoe je dacht dat ze was? Is het nooit bij je opgekomen dat je haar misschien helemaal niet echt gekend hebt. Dat kan immers niet na slechts een jaar. Misschien was zij jou na verloop van tijd ook heel erg tegengevallen.' Ze stond op en verdween naar de keuken om koffie te zetten. Chris had tussen de woordenwisseling door al op de klok gekeken.

Stel je voor dat hij niet op de vaste tijd zijn koffie kreeg. O, wat zou ze graag eens afwijken van alle vaste patronen. Bijvoorbeeld door hem nu een glas wijn voor te zetten. Maar de kleinste verandering lokte al een discussie uit. Ze zou ermee moeten leren leven. En als het haar te veel werd, wat dan? Ze kon niet weggaan. Waar zou ze heen moeten? Maar soms had ze zo genoeg van dit leven. Ze vroeg zich af of Chris nog wel van haar hield. Hij zei het nooit. Maar ook van zichzelf wist ze het niet meer. Hun samenzijn in bed was tegenwoordig een plicht die ze het liefst maar zo snel mogelijk achter de rug had. O, ze kon niet alle schuld van dit moeizame huwelijk op Chris schuiven, maar was het zo verkeerd dat ze iets meer verlangde dan dit saaie leven. En nu wilde hij Maarten aan Nelia Caspers koppelen. Eén geluk: Maarten liet zich nergens toe dwingen.

'Ben je vergeten hoe je koffie moet zetten?' Chris verscheen in de keuken.

Ineens viel haar op dat hij er vermoeid uitzag. 'Ik stond te dromen,' verontschuldigde ze zich, en ze voegde eraan toe: 'En dat zou Koosje nooit doen.'

Chris fronste. 'Je brengt haar nu zelf ter sprake.'

Hij had natuurlijk gelijk. Evenmin als hijzelf kon zij zijn eerste vrouw vergeten.

'Ik zal de anderen roepen.' Chris ging de keuken uit en riep onder aan de trap: 'Er is koffie.'

Hij bleef even staan. Daardoor zag hij Maarten uit Leandra's kamer komen. Dat was niets bijzonders. Hij hielp haar een enkele keer met haar huiswerk. Maarten had Leandra altijd als zijn zusje gezien, en Chris begreep zelf niet waarom hij nu ineens het idee had dat er iets aan het veranderen was.

2

Leandra maakte nog een paar notities, stond toen op en rekte zich uit. Ze had geen zin om bij de familie in de kamer te gaan zitten. Maar dat samen koffie drinken was een soort traditie. Gelukkig was Leendert er meestal niet bij. Haar gedachten gingen naar zijn opmerking aan tafel, en ze huiverde. Alleen het woord 'oorlog' kon haar al een nachtmerrie bezorgen. Ze opende haar mond en probeerde iets te zeggen, maar er kwam geen geluid uit. Toch was ze ervan overtuigd dat ze hen eens versteld zou doen staan door weer te gaan praten. Dat had ze zichzelf beloofd. Soms, wanneer ze in bed lag, fluisterde ze een naam. Maar ze moest daar voorzichtig mee zijn. Meestal resulteerde het in nare dromen of wakker liggen en alles herbeleven. Leandra had al die jaren overleefd door op het moment dat de herinneringen bovenkwamen, de deur naar haar gedachten dicht te slaan en zich vervolgens terug te trekken in een diepe stilte. Ze probeerde zich te ontspannen door diep adem te halen. Ze kon maar beter naar beneden gaan. Ze liep langzaam de trap af en de kamer in. Maarten had de stoel naast zich vrijgehouden en glimlachte naar haar. Ze lachte onbevangen terug. Ze beschouwde Maarten als haar vriend en vertrouweling. Niemand wist dat ze hem briefjes schreef. Over de dingen die haar bezighielden, over school, leraren en vriendinnen. Maar nooit over hoe het was geweest. Vroeger, toen ze nog maar een kind was, en ze haar ouders hadden meegenomen. En haar broer Jozef en zij... nee, niet aan denken. Ze moest juist wel proberen dit helemaal opnieuw te beleven. Dan zou ze misschien weer kunnen praten, had een leraar op school gezegd. Hij had psychologie gestudeerd en vond haar waarschijnlijk een interessant object. Ze ontliep hem zo veel mogelijk.

'Caspers heeft een nieuwe maaimachine aangeschaft,' zei Chris. 'We hebben besloten dat samen te doen. Dus als het zover is, kan ik het ding ook gebruiken.'

'Misschien kun je dan ook zijn melkmachine lenen.' Chris fronste. Hij begreep dat Maarten hem voor de gek hield. 'Het is heel gewoon dat boeren dergelijke dure machines gezamenlijk aanschaffen. Dat geldt ook voor dorsmachines,' verdedigde hij zich.

'Je durft niet, pa. Je wantrouwt vernieuwingen,' zei Maarten. 'Maar het is voor mij het laatste seizoen dat ik de koeien met de hand melk.'

'Hoe bedoel je?'

'Ik heb mijn licht eens opgestoken bij een manege in de buurt van Rotterdam.'

'Wilde je hier alles in de steek laten en ergens anders gaan werken?' Chris verhief zijn stem. 'Heeft zij je dat ingefluisterd?' Hij maakte een gebaar naar Leandra.

Als hij Maarten van zich wilde vervreemden, moest hij zo maar beginnen, dacht Ditte. Ze schoof hem zijn tweede kop koffie toe, maar Chris liet zich niet afleiden. Ze zag dat hij boos was, maar ook geschrokken. Chris was geen ruziemaker, en zeker niet met zijn zoon.

'Het lijkt me leuk om een paard te hebben,' liet Clara zich nu horen. 'Je hoort steeds vaker dat mensen willen paardrijden. Dan kan ik het ook leren.'

Chris keek om zich heen alsof hij een uitweg zocht om te kunnen ontsnappen. 'Ik ben boer, en dat wil ik blijven,' zei hij. 'Het is ontzettend jammer dat geen van jullie iets voor de boerderij voelt. Te beginnen met Ditte. Als jij ooit maar enig enthousiasme had getoond, was het met de kinderen vast ook anders gelopen.'

'Zoiets kun je niet dwingen,' zei Ditte kalm.

'Je kunt toch gewoon boer blijven terwijl ik probeer een

manege op te zetten. Dat is heus niet van de ene op de andere dag gerealiseerd. Je hebt opa ook nog. Hij is een volledige kracht. En als je dan een melkmachine aanschaft...'

'We gaan naar Caspers naar die machine kijken,' zei Chris nu voortvarend. 'Caspers heeft geen zoons, maar een dochter die zich volledig inzet op de boerderij. Ze is van school af en werkt hele dagen mee. Die weet van aanpakken. Maar ze gaat wel iedere zaterdagavond met een groepje uit, vertelde haar vader.'

'Dan zitten ze met z'n allen in het café te drinken en te bazelen,' wist Clara te vertellen. 'Ik ben daar weleens geweest, maar ik had het al gauw gezien.'

Chris zei niets meer. Pas toen hij met Ditte in de slaapkamer was, zuchtte hij: 'Waarom heb ik geen gewone kinderen?'

'Wees blij dat ze niet met iedereen meepraten,' zei Ditte. 'Ze zijn gezond en ze doen het goed op school. Ze zijn niet precies zoals jij ze zou willen hebben, maar dat geldt ook andersom, vrees ik.'

Chris zei niets. Als Ditte zo begon, kon hij toch niet tegen haar op. Maar hij wist zeker dat als Koosje was blijven leven, alles veel meer gegaan zou zijn zoals hij het wilde. Als hij het zo eens bekeek, betwijfelde hij toch of Maarten een blik zou wagen aan Nelia Caspers. Maar Leandra zou het ook niet worden. Daar zou hij zich met hand en tand tegen verzetten.

Leandra was blij weer op haar kamer te zijn. Ze begreep heel goed wat er speelde. Chris wilde dat Maarten iets begon met dat meisje van Caspers. Ze begreep ook heel goed waarom hij dat wilde. Hij dacht dat Maarten verliefd op haar was, op Leandra. Ze dacht zelf ook dat hij gelijk had. Ze koesterde zich in de aandacht die Maarten haar gaf.

Het was zo fijn het gevoel te hebben dat je voor iemand belangrijk was. Ze wist niet of de gevoelens die ze voor Maarten had, iets met liefde te maken hadden. Ze wist wel dat ze hem erg graag mocht, en dat haar hart een sprongetje maakte wanneer ze hem zag. Misschien was dat wel verliefdheid. Maar ze wist zeker dat ze dat hier nooit zouden goedkeuren. Althans, Chris en zijn vader niet. Dan zouden ze haar misschien wel wegsturen. Als ze voor zichzelf kon zorgen, zou ze woonruimte kunnen zoeken. Maar ze had niets van zichzelf. Geen familie, geen geld... Zelfs geen stem. Met een zucht begon ze zich klaar te maken om naar bed te gaan. Ze voelde zich onrustig en wist nu al dat ze weer lang wakker zou liggen. Uit alle macht probeerde ze haar gedachten te beheersen, aan school te denken, aan Maarten. Ze hadden haar laten blijven toen er niemand was om te melden dat ze gemist werd, terwijl dat zeker niet zonder risico was. En ze kon helemaal niets terugdoen. Misschien ooit...

Leandra was toch een beetje weggedoezeld. Ze werd wakker van rumoer beneden. Gestommel in de gang. Een deur die dichtsloeg. Dat kon maar één ding betekenen. Renske kreeg haar kalfje. Leandra ging rechtop zitten en luisterde. Renske was haar lievelingskoe. Toen ze een kalfje was, had ze haar vaak de fles gegeven. Ze had het gevoel dat het dier haar nog altijd kende. Als het maar goed ging. Het was haar eerste kalfje. Het ging bijna altijd goed, stelde ze zichzelf gerust. Maar ze was nu klaarwakker. Zou ze durven gaan kijken. Ze wist er veel van. Ze zou volgend jaar diergeneeskunde gaan studeren, en nu al verdiepte ze zich in allerlei zaken die daarmee te maken hadden. Ze had sterk het gevoel dat Renske haar nodig had. Ineens vastbesloten zwaaide ze haar bed uit. Ze rilde even toen haar voeten in aanraking kwamen met het koude zeil. Snel trok ze de overall aan die ze gebruikte voor het werk op de boerderij.

Ze kwam juist beneden toen Maarten binnenkwam. 'Renske?' gebaarde ze.

Maarten keek in haar grote donkere ogen en knikte. 'Het gaat niet goed met haar. Er moet een dierenarts komen. Ik hoop dat vader nu inziet dat we telefoon moeten hebben. Dit gaat te veel tijd kosten. Als hij de koe of haar kalf of beide kwijtraakt, zal hij misschien inzien hoe belangrijk het is dat je snel een dierenarts kunt bereiken. Waar ging jij eigenlijk heen?'

Ze maakte met gebaren duidelijk dat ze op weg was naar de schuur.

Maarten zei niets. Hij wist van Leandra's band met het dier. Het meisje hield trouwens van alle dieren. Hij herinnerde zich de keer dat ze grootvader bijna was aangevlogen toen hij een kip probeerde te vangen om te slachten. 'Je kunt niets voor haar doen,' zei hij, met haar meelopend.

'Ik wil dat ze weet dat ik bij haar ben', schreef Landra haastig op het blocnootje dat ze altijd bij zich had.

Ze duwden de schuurdeur open en hoorden het hese loeien van de koe.

Leandra was in enkele stappen bij haar en legde een hand op het zwoegende lijf. 'Stil maar, stil maar, ik ben het.' De tranen schoten haar de in ogen toen Renske de kop naar haar toe draaide en zachtjes snuffelde.

'Wat zei je?' vroeg Maarten stomverbaasd.

Ze keek hem aan. Ze meende dat ze die woorden alleen had gedacht. Had ze gepraat? Ze wilde nog iets zeggen, maar er kwam geen geluid meer.

'Vader is op de fiets naar Caspers om daar te bellen.'

Leandra ging wat dichter naar de koe en sloot de ogen. Het was alsof ze duidelijk zag wat er mis was. Het kalfje ligt verkeerd, dacht ze. Ze gebaarde dat ze handschoenen wilde.

'Leandra, dat kun je niet. Je kunt niet in die koe gaan en het kalf draaien.'

Ze greep opnieuw haar notitieboekje en schreef: 'Ik heb het de dierenarts een keer zien doen.'

'Ik ook. Maar daarom kan ik dat nog niet nadoen.'

'We moeten iets doen,' krabbelde ze.

'En wat als je precies het verkeerde doet?'

Leandra reageerde niet. Ze trok de handschoenen aan en sloot opnieuw de ogen. In gedachten bad ze: Heer, dit is ook een schepsel van U. Laat mij haar helpen. Daarop ging ze aan het werk. Ze voelde de hoefjes en tastte geconcentreerd het hele lijfje af. Ze kon niet inschatten of het kalf nog leefde. Maar één ding was zeker: het moest eruit, en zo snel mogelijk. In gedachten zag ze weer de handelingen van de dierenarts als een soort film voor haar ogen afdraaien. Later zou ze niet meer kunnen zeggen of zij degene was die het kalfje ter wereld had geholpen of dat het dier zelf op het laatste moment had meegewerkt. Maar ineens plofte het kalf in het stro. Even dacht ze dat het diertje dood was, maar Renske, opgelucht dat ze van haar vrachtje verlost was, draaide zich om en begon het onmiddellijk met haar ruwe tong te likken. Leandra zat er op haar knieën naast, terwijl de tranen over haar gezicht liepen.

Maarten kwam naast haar zitten en begon het kalf stevig met stro te wrijven om de bloedsomloop te stimuleren.

Leandra zag dat het hem ook moeite kostte zich te beheersen. Maar toen hij zei: 'Je hebt gepraat,' begreep ze dat dit niet alleen om het kalfje was. Ze keek hem ongelovig aan. Ze opende haar mond, maar er kwam niets uit.

Maarten legde zijn arm om haar heen. 'Je kunt het, Leandra.'

Het meisje zweeg.

Maarten begreep dat hij niets moest forceren.

Zo zaten ze daar nog toen Chris binnenkwam. Zijn blik schoot van hen naar de koe met haar kalf. Het kleine dier probeerde op wankele pootjes overeind te komen. 'Het is dus toch goed gegaan,' zei hij, duidelijk opgelucht.

'Leandra heeft het gehaald,' antwoordde Maarten. Er klonk nog emotie in zijn stem.

Chris zag de bebloede handschoenen die Leandra begon uit te trekken.

'Het was half gedraaid. Leandra kon het keren.' Er klonk trots in Maartens stem.

Chris keek nog eens ongelovig van de een naar de ander en begon toen zelf ook het kalf te wrijven.

Maarten zei niet dat ze daar al tien minuten mee bezig waren geweest. Het was duidelijk dat zijn vader ook iets wilde doen. 'Ik ga de dierenarts niet afbellen. Het is wel goed als hij nog even naar deze twee kijkt,' zei Chris.

'Is het een stierkalf?' vroeg Maarten.

Chris schudde het hoofd. 'Ze zou hier in principe kunnen opgroeien. Maar niet als jij alle koeien wilt opruimen.'

Maarten ging er niet op in. Hij stond op en trok Leandra ook overeind. Waarom moest zijn vader van de gelegenheid gebruik maken hem onder de neus te wrijven wat hij teweegbracht als hij zijn plannen doorzette? Met Leandra liep hij terug naar het huis, waar alles donker was. Ditte was waarschijnlijk niet eens wakker geworden. Ze zou de geboorte van een kalf voor kennisgeving aannemen. Even schoot het door hem heen dat zijn vader er toch wel erg alleen voor stond. Dat zou hem met Leandra niet overkomen. Zij was heel erg geïnteresseerd in alles wat groeide en bloeide, en zeker ook in de dieren. 'Ik zal voorstellen haar Leandra te noemen,' zei hij bij de deur van haar kamer.

Ze lachte even en liep naar binnen. Ze had niets meer gezegd.

Maarten begon zich af te vragen of hij zich verbeeld had dat hij Leandra een paar woorden had horen zeggen. In ieder geval leek het erop dat zij het feit wilde negeren. Dat besloot hij dan ook maar te doen.

Nadat Leandra zich gewassen had, kroop ze terug in bed. Ze had het koud en beefde. Dat zou wel van de doorstane spanning zijn. Ze was ook erg moe en viel vrij snel in slaap. Ze droomde echter niet van de gebeurtenis in de schuur. Ze droomde van gebonk op de deur en geschreeuw.

'Aufmachen!'

Ze schrok wakker en schoot rechtop in bed. Alles kwam weer boven, en deze keer lukte het haar niet aan iets anders te denken. Ze moest er opnieuw doorheen, had haar leraar gezegd. Haar ouders hadden hen, toen dat geschreeuw klonk, onmiddellijk in de ruimte onder de vloer laten zakken. Ze hoorde nog het geluid van de mat die eroverheen werd geschoven. De ruimte onder de vloer liep verder door, en ze klemde zich vast aan de hand van haar vijf jaar oudere broer Jozef. Ze hoorde haar vader iets roepen. Haar moeder gilde. Ze wilde naar hen toe, maar Jozef hield haar stevig vast en schudde zijn hoofd. Toen het eindelijk stil was, fluisterde hij: 'Dit was de afspraak, Leandra. We moeten proberen te ontkomen. Later zien we hen dan weer.' Ze had het toen geloofd, maar nu, tien jaar later, wist ze dat ze even naamloos ten onder waren gegaan als zo vele anderen. En Jozef... Nee, aan hem wilde ze niet denken. Het was voor vandaag genoeg. Met alle wilskracht die ze in zich had, duwde ze de deur naar haar verleden dicht.

Toen Clara Terschegge uit school kwam, zag ze de jongen

weer lopen. Ze wist niet hoe hij heette, noch waar hij op school zat of misschien werkte. Hij leek haar al wat ouder. Sinds ze hem voor het eerst had gezien, dacht ze aan hem. Ze wist zeker dat hij haar ook had opgemerkt. Hij keek haar soms op zo'n doordringende manier aan dat haar hart op hol sloeg. Nu passeerde ze hem en mompelde ze iets wat op een groet leek. Hij haalde haar met enkele passen in.

'Hé, zullen we iets gaan drinken?'

Ze keek hem een beetje verschrikt aan. 'Wat drinken?' herhaalde ze.

Hij lachte even. 'Je reageert alsof ik je gebraden aap aanbiedt. Ik heb je al vaker gezien en ik ben al eerder van plan geweest je aan te spreken. Daar is een gezellig kroegje.'

Een beetje overdonderd liep Clara met hem mee. Eenmaal binnen dacht ze dat dit geen gelegenheid was waar haar vader enthousiast over zou zijn. Maar ze was achttien en zat in de hoogste klas. Volgend jaar ging ze naar de opleiding voor verpleegkundigen. Ze was geen kind meer, al werd ze soms wel zo behandeld. Dit alles schoot in enkele seconden door haar hoofd, en ze liep met hem mee naar een tafeltje in de hoek. Het was duidelijk een jongerencafé. Ze zag ook een stel klasgenoten. Werd het niet de hoogste tijd dat ze aan het normale leven ging deelnemen?

'Zo, laat ik me eerst even voorstellen. Mijn naam is Paul Storm. Heel simpel. Niet meer en niet minder. En jij bent Clara Terschegge. Boerendochter uit de Bevelanden.'

'Hoe weet je dat zo precies,' vroeg Clara verbaasd.

Hij haalde zijn schouders op. 'Ik heb een beetje voor detective gespeeld.'

Ze keek hem aan. Hij had vriendelijke bruine ogen achter een donkeromrande bril. Hij praatte met een accent dat ze niet goed kon thuisbrengen. De ober bracht hun drankjes, en Paul rekende meteen af. Als hij het wel gezien had met haar, kon hij snel weg, dacht Clara, die niet overliep van zelfvertrouwen, zeker niet in het bijzijn van jongens. 'Je komt niet van hier?' waagde ze. 'Je naam komt hier niet voor.'

'Ik kom uit Overijssel. Mijn ouders woonden net over de grens met Duitsland. Ik ben wel Nederlander. Ik heb altijd het gevoel dat ik dat er snel bij moet zeggen. Het zal nog wel een tijdje duren voordat Duitsers hier weer gemakkelijk geaccepteerd worden.'

'In de zomer komen er al veel als toerist,' wist Clara. 'Er zijn mensen die daar moeite mee hebben, maar de meeste gaan gewoon met hen om.' Even dacht ze aan Leandra. Zij had de gebeurtenissen uit de oorlog nog steeds niet verwerkt. Clara was geneigd te zeggen dat ze het moest loslaten. Maar Ditte zei dat ze waarschijnlijk iets heel ergs had gezien en meegemaakt.

'Je zit me aan te kijken alsof je nog steeds niet zeker weet of ik wel betrouwbaar ben,' zei Paul een beetje spottend. 'Ik was een kind in de oorlog. Tien jaar. Ik kan er echt niets aan doen, al woonde ik dan dicht bij Duitsland.'

'Waarom woon je nu hier?' vroeg Clara, die het onderwerp eigenlijk liever wilde laten rusten.

'Ik heb een baan bij een architectenbureau. Ik werk een paar dagen per week, en daarnaast studeer ik nog. Het is heel bijzonder dat ik daar toestemming voor heb gekregen. Er moet veel worden opgebouwd, en sommige belangrijke gebouwen moeten in hun oorspronkelijke staat worden teruggebracht. Zo kan ik mijn steentje bijdragen aan de opbouw van de hoofdstad van jullie provincie.'

Het klonk Clara heel sympathiek in de oren. Hij vroeg ook naar haar opleiding, en het leek hem echt te interesseren.

Ze zaten er al een tijdje toen ze met schrik tot de ontdekking kwam dat ze de bus had gemist. De volgende ging pas over anderhalf uur. 'Ze zullen thuis ongerust zijn,' zei ze terwijl ze opstond.

'Ik kan je brengen. Ik heb een auto. Het is wel een oud beestje, maar hij doet het nog goed.'

Ze aarzelde.

Hij bleef haar afwachtend aankijken.

'Goed, waarom ook niet?' ging Clara overstag. Ze was achttien jaar. Op die leeftijd had Ditte al verkering met haar vader... Overigens was dat natuurlijk wel erg jong geweest. Ze woonde nu zo'n beetje afgezonderd van de rest van de wereld op de boerderij. En dat had ze vast niet beseft toen ze eraan begon.

Ze waren intussen buiten en liepen naar de kleine blauwe auto, die vlakbij geparkeerd stond.

'Niet veel jongens van jouw leeftijd hebben een auto,' zei Clara.

'Nee, de meesten hebben hier brommers. Maar ik ben drieëntwintig en ik werk al twee jaar. Ik woon zelfstandig.'

Ze knikte een beetje verlegen. Hij zou nog kunnen denken dat ze nieuwsgierig was.

Het wagentje maakte wat herrie bij het starten, maar even later reden ze toch soepel weg.

'Je moet wel zeggen hoe ik rijden moet. Ik weet nu ook weer niet alles van je. Misschien wil je wel iets vertellen over je leven.'

'Over mijn leven?' herhaalde ze.

'Ik heb de indruk dat jullie nog zo'n beetje in de middeleeuwen leven, maar...'

'Dat is erg overdreven. We hebben gewoon elektrisch licht en stromend water,' zei ze een beetje verontwaardigd.

'Nee maar!'

Ze zag dat hij haar plaagde, en ze zweeg. Ze vond zelf ook

dat ze weinig moderne gemakken hadden. Maar iemand anders hoefde daar geen kritiek op te hebben. 'Ik woon op een boerderij. Maar het werk dat daarbij hoort, heb ik zelden hoeven doen.' Ze had er althans altijd hevig tegen geprotesteerd, dacht ze er bij zichzelf achteraan. 'Maar ik kan wel onkruid wieden, bieten dunnen en koeien melken.'

'Lieve help, en wil je ook met een boer trouwen?'

'Nooit. Ik heb aan mijn moeder gezien wat dat oplevert.' Ze zweeg abrupt.

Hij keek haar even aan. 'Wat is er met je moeder?'

Clara haalde haar schouders op. 'Ze komt uit Amsterdam en ze schildert.' Met een handgebaar wees ze hem een zijweg die hij in moest rijden.

'Je ouders hebben dus niet echt een goed huwelijk?'

Dit ging toch wel ver, dacht ze. 'Ik weet niet hoe een goed huwelijk hoort te zijn,' zei ze onwillig.

'Dat leg ik je nog weleens uit. Ben je enig kind?'

'Ik heb nog een oudere broer en een zusje.' Ze wilde niet tegen de jongen zeggen dat Leandra een joods meisje was. Hij hoefde tenslotte niet alles te weten. 'We zijn er nu bijna. Ik kan het laatste stuk ook gaan lopen,' zei ze, ineens een beetje zenuwachtig.

'Ik zet je gewoon bij de deur af. Ik wil weleens zien hoe zo'n boerderij eruitziet.'

'We zijn niet te bezichtigen,' zei Clara stug.

Hij schoot hardop in de lach. 'Ik schrijf weleens van die losse stukjes in een krant. Het lijkt me leuk om te vertellen hoe jullie leven.'

'Wie stelt daar belang in?' Clara tuurde intussen om zich heen of ze iemand zag.

'Het is voor een Amsterdamse krant. Wat weten die lezers van het boerenleven? Denk je dat ik een en ander aan je vader kan vragen?'

Clara zei niets. Alles leek ineens zo snel te gaan. 'Hij zal het wel druk hebben,' zei ze afwerend.

De auto stopte vlak voor het pad naar de voordeur, en ze maakte aanstalten om uit te stappen.

Paul deed hetzelfde.

Op dat moment kwam Leandra van de achterkant van het huis. Ze droeg een overall, en haar donkere haren waren grotendeels verborgen onder een rode zakdoek. Waarschijnlijk was ze bij het kalfje geweest. Ze bleef staan en keek van de een naar de ander.

'Lieve help, wat een prachtig plaatje,' zei Paul. Hij glimlachte naar Leandra, die zich omdraaide en wegliep. 'Wat is er met haar? Is ze zo schuw?' vroeg hij aan Clara.

Die zei niets. Daar was het weer. Zodra Leandra in beeld kwam, kreeg ze alle aandacht. Trouwens, waarom was deze Paul zo geïnteresseerd in haar familie? Ze waren hier niet gewend openlijk vragen te stellen. De mensen waren gesloten. 'Niemand heeft er iets mee te maken,' was een opmerking die ze vaak genoeg van haar vader hoorde. Deze Paul had er blijkbaar geen enkele moeite mee maar raak te vragen. Dan zou hij bij haar vader van een koude kermis thuiskomen. Clara hoorde zijn norse nietszeggende antwoorden al, zodra een vraag maar iets te persoonlijk werd.

'Daar komt mijn vader.'

Chris kwam juist de schuur uit. Hij moest wel indruk maken op Paul, met zijn lange forse gestalte en doordringende blauwe ogen. Hij kwam naar hen toe en keek Paul recht aan. 'En?'

'Ik heb uw dochter thuisgebracht.'

'Ze is anderhalf uur te laat,' was het norse antwoord.

'We raakten aan de praat. Ik wilde graag iets meer weten over het leven op de boerderij.'

'Waarom?'

'Ik schrijf stukjes voor een Amsterdamse krant.'

Chris' gezicht werd zo mogelijk nog geslotener. 'Wilde je ons te kijk zetten bij de Amsterdammers, zodat ze ons kunnen uitlachen?'

'Is er hier iets waarom te lachen valt?' vroeg Paul ad rem.

'Je vindt altijd wel iets,' zei Chris terwijl hij aanstalten maakte om door te lopen.

'Maar wat vindt u ervan?' hield Paul aan.

'Als je wilt schrijven, kan ik je niet tegenhouden. Maar van mij zul je niets horen. Een schrijver wordt geacht zelf op onderzoek uit te gaan. Kom hier zo af en toe eens werken. De stal uitmesten, met een koe naar de stier, het land bemesten bijvoorbeeld. Maar laat mijn dochter met rust.' Hij beende met grote stappen weg.

Clara zag dat Paul woedend was.

'Hij denkt dat hij mij de les kan lezen,' mompelde hij.

'Hij is hier de baas,' zei Clara.

'Hij heeft ongetwijfeld meer lichaamskracht dan ik. Maar ik heb het intellect.'

Clara fronste. Bedoelde hij dat haar vader dom was? Nou, daar vergiste hij zich in. 'Ik weet alles wat ik moet weten,' zei Chris soms, 'over landbouw en veeteelt.'

'En over de Bijbel,' had Ditte een keer aangevuld.

'Daarvoor is een leven te kort,' had Chris geantwoord.

'Kan ik met je moeder kennismaken?' vroeg Paul dan.

Clara aarzelde even. Toen bedacht ze dat haar moeder Paul beter te woord zou kunnen staan dan Chris. 'Ik zal het vragen,' zei ze, en ze liep naar binnen, regelrecht de trap op naar Dittes kamer. Toen ze boven was, merkte ze tot haar verbazing dat Paul haar gevolgd was. Dat zou men hier brutaal noemen, dacht ze. Trouwens, niemand die ze kende, zou zoiets doen. Zoals ze gewend was, klopte ze op de deur voordat ze naar binnen ging.

Ditte draaide zich naar hen om.

Even zag Clara haar door Pauls ogen. Ze droeg een wijde kleurige broek en een effen blouse die bij de hals openstond. Een paar centimeter te ver, zou grootvader ongetwijfeld zeggen. Net als Leandra had Ditte haar haren bijeengebonden. Ze leek net een jong meisje. Maar ze was ook nog geen veertig.

'Nu zie ik op wie uw andere dochter lijkt, en van wie ze haar schoonheid heeft,' zei Paul vrijmoedig.

Ditte fronste even, maar begon dan te lachen. 'Met dergelijke opmerkingen komen bezoekers hier in de regel niet binnenlopen. Wie bent u?'

'Ik ben Paul Storm. Ik heb uw dochter ontmoet. Ze was te laat voor de bus, en ik heb haar thuisgebracht.'

'En toen dacht u: laat ik meteen het hele huis maar inspecteren,' zei Ditte droog.

Paul leek nu toch wat verlegen. 'Het leek mij leuk met Clara's familie kennis te maken,' zei hij niettemin.

'En met wie heb je verder al kennisgemaakt?' vroeg Ditte.

'Met uw man. En uw andere dochter heb ik van een afstand gezien.'

Ditte schoof haar schildersezel wat van zich af, keek keurend naar het resultaat en zei toen: 'Ik zal maar een kopje koffie voor je gaan zetten.'

Het viel Clara op dat Ditte niet zei dat Leandra haar dochter niet was.

'Hebt u dit allemaal geschilderd?' vroeg Paul om zich heen kijkend.

'Zeker.'

'U hebt talent.'

'Heb je er verstand van?' Ditte keek hem vragend aan.

'Eigenlijk niet,' gaf hij eerlijk toe.

47

'Dat dacht ik al. Dit is namelijk niet meer dan tijdverdrijf. Kom, we gaan naar beneden'

Clara ging als laatste de trap af. Ze voelde zich zowel door haar moeder als door Paul opzijgeschoven als iets totaal onbelangrijks.

Paul bleef Ditte vragen stellen. Eerst over het schilderen. Hij zei dat hij wel een expositieruimte voor haar wist.

Ditte antwoordde dat ze daarover moest nadenken.

Dan vroeg hij hoe zij toch op een boerderij terechtgekomen was.

'En waarom niet? Wat is er mis met een boerderij?' vroeg Ditte.

'Het is toch niet gebruikelijk dat een kunstenares met een boer trouwt,' meende Paul.

Ditte keek hem met haar donkere ogen een beetje spottend aan. 'Zou het mogelijk zijn dat er sprake is van liefde?' vroeg ze fijntjes. Ze schoof hem zowel als Clara een kop koffie toe en zette het koektrommeltje op tafel.

'Jij moet vast nog het een en ander doen, Clara,' zei Ditte.

Ze knikte. Als het niet zo geweest was, zou ze ook bevestigend hebben geantwoord. Ze zou willen dat Paul nu maar vertrok. Maar hij scheen dat vooralsnog niet aan te voelen.

Paul wendde zich tot haar en zei: 'Je moeder is een fascinerende vrouw.'

'Zo heb ik haar nooit gezien,' zei Clara kortaf.

'Gelukkig maar,' lachte Ditte, en riep toen: 'Kom maar binnen, Leandra. Deze meneer gaat zo weg.'

Het meisje had zich verkleed en haar haren losgemaakt.

Paul staarde haar met duidelijke bewondering aan. 'Jij heet dus Leandra. Die naam past beter bij een blonde vrouw, vind ik.'

'Je mag vinden wat je wilt. Maar ik stel er geen prijs op

die meningen allemaal te horen.' Ditte had duidelijk genoeg van hem.

Paul scheen dat nu aan te voelen, want hij stond op.

'Ik vond het een bijzondere ervaring kennis met u te maken,' zei hij formeel.

Ditte antwoordde niet.

Leandra had zich van hem afgekeerd en stond voor het raam.

Paul keerde zich schouderophalend naar de deur en verdween.

'Clara, kijk even of hij echt weggaat,' zei Ditte duidelijk hoorbaar voor hem.

Clara liep met hem mee naar de auto. Ze zag haar grootvader met Maarten op het land bezig.

'Horen zij ook bij de familie?' vroeg Paul.

'Mijn grootvader en mijn broer,' antwoordde ze kortaf.

'Ik wist niet dat mensen zoals jullie zo eh... apart waren. Neem nou dat meisje, je zusje. Waarom zegt ze niets?'

'Ze vond waarschijnlijk dat jij genoeg praatte,' zei Clara, die niet van plan was over Leandra te beginnen.

Hij schudde het hoofd en stapte in. 'Er was iets vreemds aan haar.' Dan keek hij haar recht aan. Het was alsof hij haar, nadat ze een uur geleden waren aangekomen, weer echt zag. 'Zullen we nog eens afspreken?'

Clara aarzelde. Ze had hem leuk gevonden. En als hij zich niet gedroeg als iemand die een interview afnam, vond ze dat nog. Maar haar ouders zouden er niet blij mee zijn als hij hier vaker kwam. Ze wist nu al dat zowel Leandra als Maarten hem niet zouden mogen. Aan de andere kant was ze volwassen en in staat haar eigen vrienden te kiezen. 'We kunnen een keer in de stad afspreken,' stelde ze voor.

'Prima, ik ben regelmatig in de buurt van je school.' Hij nam met een knikje afscheid.

Toen Chris die avond zei: 'Ik weet niet wat je hebt aange-
haald met die jongen, maar ik hoop dat het bij één keer
blijft,' antwoordde Clara niet. Ze begreep wel dat hij er zo
over dacht. Hij was dergelijke vrijmoedige types niet gewend. Maar wat haar ouders van Paul vonden, liet haar
koud.

Het was alweer enige tijd geleden dat Paul verliefd was geweest op Noortje. Als hij wilde, kon hij heel charmant zijn.
Maar aangezien het meestal resulteerde in een afloop zoals
bij Noortje, gedroeg hij zich de laatste tijd wat afstandelijk.
Hij vond het echter prettig als een meisje in hem geïnteresseerd was. Hij wilde graag enige tijd de belangrijkste
persoon in haar leven zijn. Maar zover was het met Clara
nog lang niet. Zij was een beetje wantrouwend. Misschien
was hij te ver gegaan met zijn vragen. Haar moeder had
hem enorm geboeid. Zo zelfverzekerd, zo helemaal zichzelf. Als zo'n vrouw verliefd op hem werd... Maar dat zou
nooit gebeuren. Het waren meestal onzekere, wat verlegen
meisjes, die voor hem vielen. Hij had gedacht dat hij Clara
gemakkelijk voor zich zou kunnen winnen. Maar hij was er
nu niet meer zo zeker van. Haar zusje? Dat zou dan toch via
Clara moeten gaan. Hoe kwam hij anders met haar in contact? Hij moest er toch achter kunnen komen waar dat
meisje op school zat. Hij bedacht dat hij een en ander heel
voorzichtig moest aanpakken.

Paul had nog altijd een enorme behoefte bij een familie te
horen. Hij was enig kind. Zijn vader was in de oorlog omgekomen, neergeschoten door iemand uit het verzet. Het
scheen dat zijn vader de verblijfplaats van een paar joden
had verraden. Mede daardoor was Paul altijd een eenling
geweest. Hoewel hij er nooit over praatte, waren er toch

50

veel mensen die ervan wisten. Paul herinnerde zich zijn vader wel. Hij was een jongen van dertien jaar toen zijn vader vertrokken was en nooit meer was thuisgekomen. Zijn moeder was een jaar later ook overleden. Zij kon met haar verdriet nergens heen. Toen was Paul bij zijn oma in huis gekomen. Maar ook zij praatte nooit over haar zoon, zijn vader. Slechts één keer had ze gezegd: 'Ik mag niet rouwen. Ik moet me diep schamen om wat hij heeft gedaan.' Dat alles was er waarschijnlijk de oorzaak van dat Paul behoefte had aan familie, aan mensen die bij hem hoorden. Mensen die niets wisten van zijn vader, en die, als ze er al van hoorden, hem niet meteen lieten vallen. Hij ging ervan uit dat de personen die op deze boerderij woonden, nooit van Evert Storm hadden gehoord. Toch wilde Paul erachter komen waarom zijn vader joodse families had verraden. En ook wie zijn vader had neergeknald. Waarschijnlijk leefde die man vrolijk verder met de gedachte dat hij een goed werk had verricht. Hij had de wereld bevrijd van een monster. Dat stond op het briefje dat ze hadden gekregen toen het lichaam van Evert Storm was vrijgegeven. Hij zou die vent graag ontmoeten. Hij haatte hem. Zonder enige vorm van proces had hij een vrouw van haar man beroofd, en een zoon van zijn vader. Maar het zou toeval zijn als hij ooit achter de dader kwam.

Paul wist dat alle woede en frustratie hem soms bijna letterlijk ziek maakten. En hij had het gevoel dat hij alleen genezing kon vinden als hij mensen leerde kennen die van hem hielden. Hij was zich ervan bewust dat hij zich al te snel opdrong. Hij had heus wel gemerkt dat Clara's familie zich aan hem ergerde. Clara zelf ook, terwijl hij toch het gevoel had dat ze verliefd op hem was. Hij zou het voorzichtiger moeten aanpakken.

3

Ditte dacht na over wat de jongen gezegd had. Niet zozeer omdat hij haar schilderwerk had bewonderd. Hij had haar alleen willen vleien. Waarschijnlijk vanwege Clara. Of misschien zelfs vanwege haarzelf. Ditte vond het vermakelijk dat zo'n jonge man met bewondering naar haar keek. Dat gebeurde haar niet vaak. Ze zou bijna vergeten dat ze nog altijd mooi was. Het ging haar echter in hoofdzaak om het feit dat hij had gezegd dat hij een expositieruimte wist.

Toen Clara de dag daarop thuiskwam, vroeg Ditte haar of ze Paul nog had gezien.

Clara schudde haar hoofd.

'Ik kreeg de indruk dat je hem erg aardig vond,' zei haar moeder.

'Och, ik ken hem nauwelijks. Hij is trouwens een halve Duitser.'

Leandra, die aan tafel haar huiswerk maakte, keek haar met grote schrikogen aan.

Clara haalde haar schouders op. 'Je hoeft niet bang te zijn. Het is geen oorlog meer.'

Maar Leandra was wel bang. En misschien zou ze dat haar hele leven blijven.

Het was niet Clara, maar Leandra, die Paul voor het eerst terugzag. Het toeval wilde dat hij haar zag bij het hek van het gymnasium. Hij moest twee keer kijken. Dat meisje dat hij had gezien in een overall en op klompen, zou op deze school zitten? Datzelfde meisje dat haar mond niet opendeed. Was ze van plan een studie te gaan volgen. Dan zou ze toch echt wat meer haar op haar tanden moeten krijgen. Misschien kon hij haar daarbij helpen. Hij liep naar Leandra toe en kreeg even de indruk dat ze wilde wegrennen. Het was alsof ze bang voor hem was.

'Hallo. Zit je hier op school?' vroeg hij vriendelijk.

Ze gaf een kort knikje.

'Zal ik je tas dragen.'

Ze schudde van nee en begon weg te lopen.

Paul wilde zich niet verder opdringen en keek haar na. Waarom zei dit meisje geen woord? Het leek hem onwaarschijnlijk dat ze geestelijk achterliep. Ze zag er pienter genoeg uit. Peinzend liep hij de andere kant uit. De gedachte kwam niet bij hem op dat hij deze familie beter kon loslaten. Hij wilde hen hoe dan ook beter leren kennen. Hij stond er niet bij stil dat hij door zijn drammerige optreden juist mensen afstootte.

Maarten was met zijn vader op de boerderij van Caspers omdat Chris zich liet voorlichten over de melkmachine. Hij gedroeg zich alsof hij het systeem voor het eerst in werking zag.

Maarten wilde het liefst zo snel mogelijk weg. Hij wist alles al. Caspers' dochter Nelia dook overal op waar hij was, en ze praatte aan één stuk door. En hij wilde helemaal niet met haar praten. Haar vader was ook al zo vriendelijk tegen hem. Hij had heus wel door wat erachter zat. De beide vaders zouden het prachtig vinden als hij iets voelde voor Nelia. Nou, de kans dat dat ooit zou gebeuren, was klein. Nelia's vader had hem al gevraagd of hij op zaterdagavond ook naar het dorp ging. Ze waren daar met veel jongeren bij elkaar. Het was immers goed een beetje te ontspannen na een week werken. Misschien wilde hij Nelia een keer meenemen. Hij vond het niet zo prettig dat zijn dochter in het donker alleen naar huis fietste. Maarten had wat binnensmonds gemompeld, maar hij wist al zeker dat hij de eerste weken niet naar het dorp zou gaan. De tijd dat ouders een huwelijk voor hun kinderen regelden, was toch echt voorbij. Maar ze konden wel druk uitoefenen, en dat was op zichzelf al vervelend genoeg. Hij ging echt proberen of hij een paar dagen kon werken in de manege in Rotterdam. Niet dat hij zijn vader in de steek wilde laten. Hij wilde de boerderij zelfs uitbreiden. Er zat zeker toekomst in een manege. Mensen kregen weer zin om iets leuks te doen na al dat puin ruimen. Datzelfde had de eigenaar in Rotterdam gezegd. Waarschijnlijk deed hij er het beste aan een en ander eerst met Ditte te bespreken. Chris was nog steeds in gesprek met Caspers, en Maarten vroeg zich juist af of hij met goed fatsoen kon vertrekken, toen Nelia opdook met de vraag of hij koffie wilde. Hij aarzelde en liep toen naar de houten bank die precies in de zon stond. Hij wilde in geen geval met haar naar binnen. Dan zou haar moeder misschien ook vragen of hij haar dochter zaterdag wilde thuisbrengen. De bank stond aan de rand van het weiland met zicht op de weg. Daardoor zag hij Leandra al van verre aan komen fietsen. Wat zou ze hiervan denken? Hij met Nelia Caspers koffie drinkend op een bankje in de zon. Waarom kroop Nelia ook zo dicht tegen hem aan? Zo was het net alsof ze elkaar hadden gevonden. Hij zwaaide naar Leandra, maar ze reageerde niet.

'Raar meisje is dat toch,' vond Nelia.

Hij keek haar aan. 'Vind je? Ze zit op het gymnasium. Ze is slimmer dan jij en ik samen.'

'Maar ze zegt nooit iets.'

'Misschien vindt ze dat er genoeg gepraat wordt,' bromde Maarten. Hij stond op. 'Ik weet niet hoe lang mijn vader nog nodig heeft, maar ik ga naar huis. Wij melken met de hand.'

'Dat zal vast niet lang meer duren. Wat doe je zaterdag?'

Hij haalde zijn schouders op. 'Meestal maak ik mijn werk voor de avondschool.' Daarop fietste hij weg. Ze moest nu toch wel een plaat voor haar hoofd hebben als ze niet doorhad dat hij niets met haar wilde.

Nelia had het heus wel begrepen. Maar ze was zo'n type van de aanhouder wint. Daarbij had ze haar ouders, die pal achter haar stonden. Nelia verloor nog niet meteen de moed.

Toen Maarten thuiskwam, zat Leandra met Ditte thee te drinken in de keuken. Ze glimlachte vaag naar hem, en zoals zo vaak verlangde Maarten dat ze iets zou zeggen. Ze verdween echter snel naar haar kamer. 'Ik ga met melken beginnen,' zei hij.

Ditte knikte. 'Leendert is al begonnen. Ik heb de indruk dat je vader zo'n machine nu wel zal aanschaffen.'

'Het zal tijd worden. Wil jij tegen vader zeggen dat hij moet ophouden mij zover te krijgen dat ik iets met Nelia afspreek?'

'Doet hij dat? Ze is een flinke boerendochter. Dat heeft hij zelf altijd gemist. En dan ook nog een vrouw die nauwelijks interesse heeft in zijn bedrijf. Ja, ik begrijp hem wel,' zei Ditte.

Maarten keek haar achterdochtig aan. Nam ze hem in de maling. 'Je vader staat er wel erg alleen voor,' zei Ditte serieus, 'maar dat mag jou er niet van weerhouden de stem van je hart te volgen. Er is iemand anders, is het niet?'

'Hoe kom je daar nou bij?'

'Ik heb verstand van die dingen. Maar ik weet niet of dit wel zo'n verstandige keus is.'

Maarten zei niets, maar maakte dat hij weg kwam. Ditte bedoelde zo goed als zeker Leandra. Ditte zei nooit veel, maar toch wist ze veel van de mensen om haar heen. En hij wilde er niet met haar over praten. Hij had er nog nooit een woord over gezegd, ook niet tegen Leandra zelf. Zijn vader was er inmiddels ook, en hij liep met hem naar het weiland, waar Leendert al bezig was met melken. Even later zaten ze vlak bij elkaar, ieder met het hoofd tegen de koe geleund. Bij dit automatische werk kon Maarten zijn gedachten de vrije loop laten. Hij hoorde zijn vader iets zeggen over de melkmachine en gaf een vaag antwoord. Hij zou hem toch moeten zeggen dat hij wilde proberen op de manege te helpen, melkmachine of niet. Hij hoorde ook de naam Nelia vallen, maar hij keek hun richting niet uit. Hij moest met Leandra praten, voor zover dat mogelijk was.

Aan tafel begon zijn grootvader er echter over. 'Ik hoorde dat je de boerderij in de steek wil laten,' was zijn eerste opmerking. Hij at intussen rustig verder en keek hem niet aan.

'Daar is geen sprake van,' antwoordde Maarten kalm. 'Ik zou de boerderij juist willen uitbreiden.'

'Met paarden,' zei zijn grootvader. 'Of we nog geen werk genoeg hebben.'

'Er moet natuurlijk iemand bij komen,' zei Maarten achteloos. 'Iemand die verstand van paarden heeft. Iemand die rijles kan geven.'

'Verstand van paarden heb ik wel,' zei Leendert, wat zeker waar was. 'Maar rijlessen? Een paard is geen auto. Je klimt op haar rug en ze loopt. Moet je daar les in krijgen?'

Maarten zei niets. Zijn grootvader wist er heus wel meer van dan hij liet blijken. Hij wilde alleen vervelend doen. Met zijn vader was soms nog wel te praten, maar Leendert wilde van geen enkele vernieuwing weten.

'Als jij al die plannen hebt, moet je wel een vrouw hebben die meewerkt,' zei de oudere man nu met een blik naar Ditte. 'Ik hoorde van je vader dat je niets van dat meisje

Caspers wilt weten. Zij zou een geschikte vrouw voor je zijn. Haar handen staan niet verkeerd.'

Maarten keek even naar Leandra, die zoals gewoonlijk als eerste klaar was met eten. Hij knipoogde naar haar, maar ze reageerde niet. 'Ik voel helemaal niet voor Nelia,' zei hij kortaf. 'Ze staat me zelfs tegen. En toen ze me vertelde dat ze een nest jonge katjes had opgeruimd... Zo'n vrouw zou ik nooit willen.'

Hij zag dat Leandra een huivering onderdrukte. Nee, iets dergelijks zou nooit in Leandra opkomen. Zij was een echte dierenliefhebster.

Zijn grootvader legde nu zijn vork neer.

Maarten week automatisch wat terug.

'Jouw vader was indertijd ook helemaal in de ban van Ditte. Er is hem inmiddels gebleken dat er meer nodig is dan verliefdheid. Is het niet zo, Chris?'

'Laat mij erbuiten,' verzuchtte deze koel.

'En mij ook,' vulde Ditte aan. 'Jonge mensen van tegenwoordig volgen de stem van hun hart. En zo hoort het ook.'

Leendert ging er niet verder op in. Maar dat het laatste woord hierover nog niet was gezegd, wist Maarten wel zeker. Stel dat Nelia hem zaterdag zelf zou komen halen. Ze was ertoe in staat. Hij moest ervoor zorgen dat hij onvindbaar was.

Die avond besloot Maarten, nadat hij enige tijd voor school had gewerkt, Leandra op te zoeken. Ze zaten vaker bij elkaar, maar de laatste tijd had hij steeds meer schroom om haar kamer binnen te gaan. Ze zat in de rieten stoel die voor het raam stond. Het was donker buiten, maar toch tuurde ze door het raam. Die houding verontrustte hem altijd. Ze zag er dan heel kwetsbaar en eenzaam uit. Maarten kreeg dan de onweerstaanbare behoefte haar in zijn armen te nemen en haar tegen alle kwaad te beschermen. Hij trok een stoel bij en ging naast haar zitten.

'Leandra, ik wil met je praten. Zou je pen en papier willen pakken. Ik wil dat je mij antwoord geeft.'

Leandra keek hem even aan en stond toen op om pen en blocnote te pakken. Ze begon meteen te schrijven.

Toen Maarten de eerste regels las, keek hij haar niet-begrijpend aan.

'Paul Storm stond mij op de wachten. Ik wil dat niet. Hij is een Duitser.'

Wie was Paul Storm?

'Hij is een vriend van Clara. Ik mag hem niet,' vulde Leandra aan.

'Wat wil hij van je?' vroeg Maarten.

Ze haalde haar schouders op. 'Te veel. Ik vind hem eng.'

'Hij vindt jou waarschijnlijk gewoon een leuk meisje,' zei Maarten nu. 'Dat vind ik ook. En meer dan dat. Ik wil dat je dat weet.'

Ze keek hem ernstig aan en schreef: 'Ik vind jou ook leuk. Maar we kunnen niet met elkaar gaan.'

Hij glimlachte even om haar woordkeus en zei toen serieus: 'Je moet de stem van je hart volgen, zegt Ditte. En dat ben ik van plan.' Hij strekte een arm naar haar uit en ze kroop tegen hem aan.

Even zaten ze zo.

Dan pakte Leandra haar blocnote weer. 'Vind je het erg dat ik niet kan praten?'

'Ik vind het jammer, maar het komt vast wel een keer goed.' Hij trok haar dichter tegen zich aan en kuste haar licht op de wang. Dan vond zijn mond de hare. Op dat moment werd Leandra meer dan zijn stiefzusje. Ze werd zijn geliefde, en toen hij haar aankeek, was het alsof hij haar voor het eerst zag. Natuurlijk was haar uiterlijk hem vertrouwd, maar de blik in haar ogen was nieuw. 'Vader wil dat ik met Nelia uitga,' fluisterde hij in haar oor.

Ze knikte. Natuurlijk had ze alles gevolgd. 'Zij zal beter bij je passen,' schreef ze.

Hij tuurde naar de woorden en zei: 'Bewaar je energie maar voor woorden die er echt toe doen.'

Ze leunde tegen Maarten aan, en hij voelde zich bijna volmaakt gelukkig. Bijna. Want op dit moment besefte hij dat het zwijgen van Leandra toch weleens moeilijk kon worden.

Chris en zijn vader zaten nog steeds in de kamer. Ditte had voor koffie gezorgd en bestudeerde nu een boek over schilderkunst. Chris dacht aan de woorden van zijn vader. Hij was helemaal in de ban geweest van Ditte. Hij herinnerde zich die tijd nog goed. Hij kon toen aan niets anders denken dan aan het levendige donkere meisje dat tot zijn verbazing ook in hem geïnteresseerd was. Ze was nauwelijks twintig jaar toen ze trouwden, en tien jaar jonger dan hijzelf. Daarbij had hij een zoon van drie jaar. Ze was een goede moeder geweest voor Maarten, evenals voor Clara. Maar de laatste tijd had hij het vervelende gevoel dat ze niet echt bij hem hoorde. Ze was zo anders... En Koosje... Ja, Nelia had wel iets van haar weg.

'Waarschijnlijk zit Maarten nu bij Leandra,' zei hij.

'Ze zijn in ieder geval te oud om hun dat samenzijn te verbieden,' merkte Ditte op.

'Stel dat ze... Het is ook een slaapkamer...' Leenderts opmerking ging als een nachtkaars uit, toen hij Dittes blik opving.

'Wat jij bedoelt, kan ook in een hooiberg,' spotte ze.

Leendert zweeg. Tegen dat soort praatjes was hij niet opgewassen. Ditte had naar zijn gevoel altijd de neiging hem voor gek te zetten. Ze zou nog raar op kijken als op een keer zou uitkomen dat die twee toch te ver waren gegaan. Zoiets kwam immers regelmatig voor. En dan moest er snel worden getrouwd. Het zou best kunnen dat Leandra daarop uit was. Het zou haar toekomst veiligstellen. Dat zou ze zelf ook wel inzien. Want wie wilde er nu een vrouw die nooit haar mond opendeed. En Chris liet het allemaal zo'n beetje gaan. Maar het was ook niet gemakkelijk nu hij van zijn vrouw geen enkele steun te verwachten had.

Nelia wachtte die zaterdagavond tevergeefs op Maarten. Ze was niet alleen teleurgesteld, maar ook erg boos. Wat dacht hij wel? Ze was een rijke boerendochter, en lelijk was ze ook niet. Ze hoefde heus niet bang te zijn dat ze zou overblijven. Er waren enkele boerenzoons die weleens een oogje aan haar waagden. Maar ze had het vermoeden dat Maartens aandacht meer uitging naar dat schriele kind dat bij hen woonde. Dat zouden ze bij hem thuis vast niet goedkeuren. Dat meisje was volkomen ongeschikt als vrouw van een boer. Ze hoopte dat Maarten dat niet pas zou inzien wanneer het te laat was. Dat Leandra het een prachtkans vond, was te begrijpen. Ze mocht dan niet kunnen praten, ze zag er bepaald niet uit alsof ze onnozel was.

Nelia fietste die avond alleen naar het dorp. Dat was niets bijzonders. Ze had alleen gehoopt dat ze vanavond begeleiding zou hebben. Ze had samen met Maarten binnen willen komen in het café. Maar misschien was hij er toch, hoopte ze tegen beter weten in. Misschien was hij wel naar de stad, dacht Nelia. Ze had weleens gehoord dat de jongens van de avondschool elkaar daar ontmoeten. En misschien ook meisjes. Misschien nam hij Leandra dan wel mee. Hij zou dan met de trein gaan. De trein van zaterdagavond acht uur zat altijd vol jongelui. Misschien moest zij dat ook een keer ondernemen.

Toen ze de haar vertrouwde gelegenheid binnenkwam, zag ze in één oogopslag dat Maarten er niet was. De jongeren die er wel zaten, waren zeker geen vrienden van haar. De meeste kwamen van boerderijen uit de buurt. Jongens en meisjes met wie ze op school had gezeten. Het was allemaal bekend, maar ook zo voorspelbaar. Zelfs de zaken waarover gepraat werd, kwamen iedere week op hetzelfde neer. En toen zag ze ineens een jongen die ze niet kende. Lang en vrij mager, met een donkeromrande bril. Ze bleef naar hem kijken totdat hij haar blik opving.

Hij kwam naar haar toe en stelde zich voor: 'Paul Storm.'

'Ik ken je niet,' zei Nelia.

'Daarom stel ik me voor.'

Nelia noemde ook haar naam. Dat had ze natuurlijk meteen moeten doen. Hij vond haar vast een boerentrien.

'Is dit jullie enige uitgaansgelegenheid?' vroeg hij.

'Hier in het dorp wel,' zei ze met een knikje.

'Ga je nooit naar de stad?' vroeg hij.

'Deze mensen ken ik,' antwoordde ze.

'Anderen kun je leren kennen,' vond hij. 'Ik dacht eigenlijk dat Clara hier wel zou zijn.'

'Clara Terschegge?' vroeg ze voor de zekerheid.

'Ik heb haar in de stad ontmoet. Ze zit daar op school.'

Nelia ging er niet op in. Had hij haar alleen aangesproken om naar Clara te vragen? Nou, daar liet ze zich niet voor gebruiken. Toen hij haar vroeg of ze iets wilde drinken, bestelde ze haar gebruikelijke flesje limonade. Toen hij met het bestelde terugkwam, knikte hij naar een tafeltje in de hoek. Hij zou vast niet weten dat dit min of meer gereserveerd was voor verliefde stelletjes. En ze zou hem voorals-nog niet wijzer maken.

'Jij komt dus ook van een boerderij,' concludeerde hij toen ze zaten.

'De meesten hier,' beaamde ze.

'Werk je bij je ouders op het bedrijf?'

'Ja. En hard ook. Ik ben enige dochter. Ze hopen thuis dat ik met een boerenzoon trouw. Dan zou ik hem bij zijn werk kunnen helpen. Het zou ook iemand kunnen zijn die bekend is met het werk op een boerderij. Een tweede zoon bijvoorbeeld.'

'Heb je al iemand op het oog?' vroeg Paul.

Ze antwoordde niet.

Paul dacht bij zichzelf dat het zo ook wel duidelijk was. Dit slag meisjes hield zich niet op met vage toespelingen en trucjes. 'Waarom is hij niet hier?' was zijn volgende vraag, en toen ze opnieuw geen antwoord gaf: 'Laat me raden. Jij vindt hem leuk, maar hij ziet niets in jou.'

Nelia tuurde in haar glas.

'Dat gebeurt soms,' ging Paul verder. 'Het overkomt iedereen weleens. Je zou kunnen proberen hem jaloers te maken.'

'Dat zal niet veel uitmaken. Ik denk dat hij verliefd is op iemand anders. Ze woont bij hem op de boerderij.' Nelia kon niet weten dat Paul al zo'n beetje een vermoeden had over wie het ging.'

'Is het een dienstmeisje?' vroeg hij niettemin.

'Lieve help, nee. Ze hebben Leandra zo'n beetje als hun dochter aangenomen. Ze heeft geen familie. Ze is grondig verwend.'

'En jij denkt dus dat de zoon verliefd op haar is.'

'Daar ziet het wel naar uit. Terwijl ze hem nooit echt zal kunnen helpen bij het werk. Ze zit op school en doet niet veel meer dan jonge dieren de fles geven. Daarbij wil ze gaan studeren. Al die vrouwen daar hebben niets met de boerderij. Ditte, de vrouw van Chris Terschegge, schildert. Terwijl mensen zich in de zomer op het land in het zweet werken, zit zij te schilderen. Dat is toch niet te geloven.'

'Ik vind dat iedereen moet kunnen doen waar hij of zij goed in is.'

Ze keek hem met opgetrokken wenkbrauwen aan. 'Dat kan niet, als je een bedrijf hebt. Maar we hebben nu wel genoeg over die van Terschegge gepraat, vind je niet?'

'Je bent dus verliefd op die zoon van hen,' constateerde hij onverstoorbaar.

'Nou, verliefd. Ik mag hem graag.'

Paul keek haar onderzoekend aan. Ging dat hier zo? Je mocht elkaar, en als het dan een beetje bij elkaar paste, was het een zaak van gezond verstand dat je samen verder ging. Was er geen sprake van heftige verliefdheid, van passie? Bij dit laatste in combinatie met Nelia schoot hij bijna hardop in de lach. Zou Leandra ook zo'n leven te wachten staan? Daar kon ze toch niet tevreden mee zijn? Hij moest proberen dat meisje weer te ontmoeten. Maar hij besefte dat hij niet kon blijven doorzeuren over de familie Terschegge.

Tegen het eind van de avond kwam Clara nog even binnen. Ze was hoogst verbaasd toen ze Paul Storm daar met Nelia zag zitten. En nog wel aan dat tafeltje.

Paul ving haar blik op en wenkte haar. 'Wat leuk dat ik je hier zie. Jullie kennen elkaar, heb ik begrepen.'

De meisjes keken elkaar wat ongemakkelijk aan, maar zeiden niets.

'Ik had jou hier niet verwacht,' zei Clara dan.

'Ik kijk wat rond in deze omgeving. Ik kan jullie thuisbrengen. Ik ben met de auto.'

'Wij zijn op de fiets,' zei Nelia met duidelijke spijt in haar stem.

'We kunnen ook nog naar de stad gaan. Dan breng ik jullie terug.'

'Dan wordt het veel te laat,' zei Clara beslist. 'Misschien wil Nelia.'

Maar deze schudde haar hoofd. Hoe kon ze met deze vreemde meegaan naar de stad, naar een gelegenheid waar ze niemand kende?

'Oké, een andere keer misschien,' reageerde Paul luchtig. 'O ja, ik heb een adres voor je moeder. Het is van een gebouw waar ze eventueel een expositie zou kunnen houden. Ik had de indruk dat ze daar wel interesse in had.'

Clara nam het briefje aan en stopte het in haar tas.

Wat later vertrok Paul.

De meisjes bleven nog even zitten.

'Wat moet zo'n jongen nou hier?' vroeg Clara zich af. 'Hij komt nota bene uit Rotterdam.'

'Je hebt hem hier zelf gebracht,' meende Nelia te weten. 'En hij blijft maar vragen stellen, vooral over jullie familie. Ik geloof dat vooral Leandra hem erg interesseert.'

'Volgens mij interesseert hij zich voor veel meisjes,' zei Clara droog. 'Ik weet niet wat ik van hem moet denken. Door zijn manier van vragen komt hij ontzettend veel te weten.'

'Zullen we naar huis gaan?' stelde Nelia even later voor.

Toen ze op de fiets zaten zei Nelia: 'Ik had Maarten gevraagd of hij vanavond meeging.'

'O ja? En wilde hij niet? Hij kan weleens een beetje bot reageren. Hij heeft altijd veel werk voor school, en dat moet in de avond gebeuren.' Clara verontschuldigde haar broer, hoewel ze heel goed wist dat hij er niets voor voelde met Nelia om te gaan.

Toen Clara thuiskwam, lag iedereen al in bed. Ze haalde het briefje uit haar tas en bestudeerde het. Het bleek een gebouw ergens in Rotterdam. Zou moeder daar echt willen exposeren? Ze kwam bijna nooit van het erf af, behalve een enkele keer naar Goes of naar Middelburg. Misschien zou Ditte het toch doen. Clara wist niet of ze dat wel zo leuk vond. Als ze daar eenmaal mee begon, waar was dan het eind? Misschien zou ze dan steeds vaker weggaan. Als Ditte het met haar eigen vader besprak, zou die het er onmiddellijk mee eens zijn. Dat wist Clara wel zeker. Maar Chris, haar echtgenoot, zou niet zo blij zijn. Als ze dit briefje aan haar vader liet zien, kwam er gegarandeerd heibel van. Clara besloot haar moeder het briefje te geven wanneer ze een keer alleen was. Dan moest ze zelf maar beslissen wat ze ermee deed.

De volgende morgen zag Clara Ditte aan het ontbijt.

Chris en Maarten waren al aan het werk. Want ook op zaterdag en zondag ging het werk gewoon door.

'Toen ik gisteren in het dorp was, heb ik die Paul weer ontmoet,' begon Clara. Ze zag een schichtige blik in Leandra's ogen en vroeg zich af waarom dat zo was.

'Zo. Je schijnt hem danig te interesseren,' zei Ditte luchtig.

'Hij kwam eigenlijk voor jou.'

Ditte bleef haar vragend aankijken.

Clara gaf haar het briefje. 'Dit is een adres waar je eventueel zou kunnen exposeren. Heb je hem daarom gevraagd?'

Ditte bestudeerde het briefje. 'Ik heb niets gevraagd. Ik ga er ook zeker niet op in. Daar ben ik niet goed genoeg voor. Ik wilde een paar stukjes geven voor die bazar in de kerk. Ze namen ze alleen uit beleefdheid aan. Ze vonden het duidelijk niets.'

'Ze hebben er hier geen verstand van,' zei Clara prompt.

'Die Paul Storm ook niet,' antwoordde Ditte. Ze keek naar Leandra, die nog niets had gegeten. 'Je moet hem maar niet meer meebrengen. Hij brengt onrust.' Ze begon met driftige gebaren de tafel af te ruimen en nam zonder commentaar Leandra's bord ook weg.

Toen de meisjes weg waren, trok Ditte zich terug in het vertrek dat met een grootse naam haar atelier werd genoemd. Ze bestudeerde het briefje nog eens. Natuurlijk zou ze er niet op ingaan. Maar zoiets als dit bepaalde haar wel bij het feit dat ze nooit ergens kwam. Het ging er niet om dat Chris haar dingen zou verbieden. Als ze een dag naar Amsterdam wilde, zou hij haar heus niet tegenhouden. Maar wat had ze er te zoeken, behalve dat haar vader er woonde? Haar vader nam haar dan mee naar een gezellig restaurant. Ze gingen winkelen. Er viel echter weinig te winkelen. Mooie kleding had hier geen functie. Trouwens, ze had alleen maar geld dat ze van Chris kreeg. En dat was niet veel. Niet dat hij gierig was, maar hij had geen idee wat de dingen kosten. Het kwam er dan op neer dat haar vader haar vrijhield.

Ditte was in de vensterbank gaan zitten en staarde naar buiten. Een deel van de fruitbomen was al uitgebloeid, maar de appelbomen vertoonden nog hun witroze tint. Het koren groeide, en over niet al te lange tijd zou het geel kleuren. Dan werd het druk op het land. Veel mensen die hielpen met de oogst. Maar zij hoorde daar voor haar gevoel niet echt bij. Plotseling nam ze een besluit. Ze zou contact zoeken met het adres. Er stond een telefoonnummer bij. Daar zou ze naar het postkantoor in het dorp moeten. Chris had beloofd dat er zo spoedig mogelijk telefoon zou komen. Hij was tot de conclusie gekomen dat hij Maarten in bepaalde zaken beter ter wille kon zijn. Het feit dat hij die avond bijna koe Renske had verloren, had de doorslag gegeven.

Ditte stond op. Ze zou naar het dorp fietsen voordat ze

zich kon bedenken. Chris was te ver op het land om hem te bereiken, maar ze was vóór het middageten terug.

Het was heerlijk weer om te fietsen, en Ditte voelde zich ineens een stuk beter. Ze moest er meer uit gaan. Waarom zou ze niet af en toe een dagje naar Amsterdam gaan? Ze maakte zich hier toch niet nuttig. En de kinderen hadden haar niet meer echt nodig. Hoewel, Leandra... Het meisje was de laatste tijd onrustig. Dat was al langere tijd zo. Ditte meende dat het kwam door haar verliefdheid op Maarten. Ze was ervan overtuigd dat ze het, wat dat aanging, bij het rechte eind had. Ze meende ook te weten dat Maarten die gevoelens beantwoordde. Misschien was Leandra onzeker omdat ze niet kon zeggen wat ze wilde. Tenslotte was zo'n blocnote alleen maar een hulpmiddel. En als Chris dan met die Nelia op de proppen kwam, werd een en ander er natuurlijk niet beter op. Maar de spanning bij Leandra was de laatste tijd duidelijk toegenomen. En Ditte had sterk de indruk dat het kwam door die jongen, die Paul. Het leek erop dat het meisje bang voor hem was. Misschien kwam dat toch door zijn accent. Waarschijnlijk zag Leandra een Duitser in hem. En het kind had te veel meegemaakt om Paul als volkomen onschuldig te zien. Als ze toch maar eens praatte. Natuurlijk konden ze communiceren met briefjes, maar dat was zo omslachtig. Meestal lieten ze het bij korte opmerkingen. 'Het kost allemaal zo veel tijd,' klaagde Clara soms. Ze zou haar dochter nog eens zeggen dat ze wat meer tijd moest vrijmaken voor een echt gesprek met Leandra. En zijzelf moest zich dat ook voornemen Anders kwam het meisje in een isolement terecht. Ze vroeg zich af hoe Maarten het deed. Maar de taal der liefde had niet zo veel woorden nodig.

Ditte stapte af bij het kleine postkantoor. Er was een telefooncel binnen, en ze sloot de deur stevig achter zich. Als de vrouw die achter het loket zat, haar hoorde, wist zo het hele dorp ervan. Het was bekend dat je na een gesprekje met haar de plaatselijke krant niet meer nodig had.

'François,' klonk het van de andere kant.

Ze noemde haar naam en zei dat ze iets had gehoord over een expositieruimte.

'Wat wilde u tentoonstellen?' vroeg de man.

'Ik heb het een en ander geschilderd,' antwoordde Ditte.

'En is het de moeite waard?'

'Dat moet iemand anders maar beoordelen.'

'Het ontbreekt u duidelijk aan zelfvertrouwen. Dat is meteen al een verkeerd begin.'

Ditte verwerkte het even.

'Wilt u dat ik een en ander kom bekijken of komt u hierheen?' klonk het dan ongeduldig. 'Hebt u vervoer?'

Een hooiwagen, dacht Ditte, en ze schoot bijna in de lach. 'Ik heb geen auto. Ik kan met de trein komen, maar dan kan ik niet zo veel meenemen.'

'Goed, ik kom wel naar u toe. Geeft u mij het adres maar.'

Ditte aarzelde. Wat zou Chris hiervan zeggen?

'Kom op, u weet toch wel waar u woont,' klonk het korzelig aan de andere kant. En even later: 'Zo, in Zeeland dus. Ja, er zijn daar mooie plekjes om te schilderen. Er zijn enkele beroemde schilders geweest... Maar dat weet u ongetwijfeld. Goed, u ziet mij van de week wel een keer verschijnen.' Hij had de hoorn neergelegd voordat ze kon antwoorden.

Beduusd legde de Ditte de hoorn op het toestel. Hij zou toch niet denken dat ze te vergelijken was met Toorop of Mondriaan? Lieve help, wat was ze begonnen? En nu had ze geen enkel idee wanneer hij kwam. Deze week. Het was vandaag maandag. Ze kon dus nog zes dagen in spanning zitten. Ze liep naar het loket om te betalen.

De vrouw achter het loket, die nooit anders werd genoemd dan 'Ploon van de post', keek haar aan en zei: 'Dus nog steeds geen telefoon? De PTT is volop bezig met kabels leggen. Maar jullie wonen nogal uit de buurt.'

'Toch zou het hard nodig zijn,' zei Ditte.

'Ja, als je veel moet bellen buiten het dorp. En als er een dokter nodig is. Jullie zijn nog jong, maar er kan altijd iets gebeuren.' Ploon begon een verhaal over iemand die door een paard was getrapt en zei dan: 'Ik hoorde dat jullie pleegkind een kalf ter wereld heeft geholpen.'

'Leandra is heel handig met dieren,' antwoordde Ditte. Ze knikte de vrouw toe en verliet het kantoortje. Ze wilde niet dat haar hele gezin onder de loep werd genomen. Hoe wist dat mens trouwens van Leandra's hulp bij de geboorte van Renskes kalf. Het was geen geheim, maar er werd toch al vreemd naar Leandra gekeken omdat ze niet praatte.

Ditte stapte weer op de fiets. Er kwam dus iemand naar haar schilderijen kijken. Misschien deed ze er toch maar beter aan Chris hierover in de lichten. Ze kon er niet op vertrouwen dat Chris niet thuis zou zijn wanneer die François kwam.

4

Het kwam er niet van Chris te vertellen wat er speelde. Paul Storm kwam weer onverwacht langs. Zijn auto reed het erf op op hetzelfde moment dat Leandra thuiskwam uit school.

Leandra bleef even stokstijf staan, en voordat ze in beweging kwam, was hij al bij haar. Hij legde een hand op haar schouder.

'Hallo, liefje. Het is alsof je bang voor me bent. Dat hoeft echt niet. Ik heb nog nooit iemand kwaad gedaan. Is je moeder thuis?'

Leandra knikte, rukte zich los en holde om het huis heen.

Paul haalde zijn schouders op en liep zonder meer naar binnen en de trap op. Hij tikte op de deur van Dittes kamer, waar deze inderdaad bezig was.

Ze keerde zich naar hem om, en na de eerste verbazing werd haar blik donker. 'Wat kom je doen?' vroeg ze, duidelijk geïrriteerd.

'Ik hoorde dat je op mijn voorstel bent ingegaan,' zei hij vrolijk.

'Voorstel? Ik heb contact gezocht via het telefoonnummer dat jij me hebt gegeven. Er is nog niets geregeld. Het is trouwens niet de bedoeling dat jij hier zomaar binnenloopt. Niemand stelt hier zo'n onverwacht bezoek op prijs.'

'Wat zijn jullie, Zeeuwen, toch ongastvrij. Die dochter van je, of pleegdochter, rende weg als een schichtig hert. En ik zou haar misschien kunnen helpen.'

'Helpen? Waarmee?'

'Ze heeft duidelijk een oorlogstrauma. In feite heb ik dat ook. Als ik haar kan leren ermee om te gaan, zal ze misschien weer gaan praten.'

'Je hebt nogal wat navraag gedaan. Wat drijft jou om heel onze familie na te pluizen?'

'Ik stel belang in mensen. En mijn hobby is psychologie.'

'Ik dacht dat je op een architectenbureau werkte.'

'Een mens kan meer dan één ding doen. Psychologie heeft mijn interesse.'

'Nou, ik zal niet toestaan dat je één van ons als een soort proefkonijn gaat gebruiken.' Ditte draaide haar rug naar hem toe en negeerde hem verder.

Paul bleef nog een moment staan en verdween dan. Eenmaal buiten keek hij om zich heen en liep dan langzaam naar zijn auto. Hij pakte een sigaret en rookte die op, tegen het portier van zijn auto geleund. Er moest toch wel iemand in de buurt zijn. Waar was dat meisje gebleven? Hij trapte even later zijn sigaret uit en liep naar de achterkant van het huis.

Leandra zat op de houten bank en schrok toen Paul ineens verscheen. Ze had gedacht dat hij nog binnen was, bij Ditte.

Hij kwam naast haar zitten.

Leandra schoof zo ver mogelijk op, maar wilde toch niet weer weglopen.

'Je hoeft nergens bang voor te zijn. Ik wil je iets vertellen,' zei Paul vriendelijk. 'Ik denk dat ik weet waarom je niet praat. Er is iets gebeurd waardoor je hebt besloten te zwijgen. Eigenlijk heeft iets in jou dat besluit genomen zonder dat je er iets aan kon doen. Ik heb zelf in de oorlog ook het een en ander meegemaakt. Mijn vader was fout... Weet je wat daarmee bedoeld wordt?'

Leandra knikte.

'Hij is doodgeschoten. Maar alsof dat niet genoeg straf was, zijn mijn moeder en ik er ons verdere leven op aangekeken. Een soort paria was ik. En nu, nu ik volwassen ben, wil ik graag mensen leren kennen. Vrienden maken. Maar dat is erg moeilijk. Altijd weer komen ze mijn verleden te weten. Maar ik heb geen joden verraden. Het was mijn vader. En ik heb hem nooit kunnen vragen waarom hij dat deed. Onschuldige mensen...' Hij hoorde een verstikt geluid naast zich en keek haastig opzij. Huilde ze? Er liepen tranen over haar gezicht. Het was alsof ze iets probeerde te zeggen. Plotseling hoorde hij: 'Nee, nee,' waarna ze opstond en snel wegliep.

Paul keek haar even na en stond dan ook op. Even later startte hij zijn auto. Zie je wel dat hij dit meisje zover kon krijgen dat ze praatte. Hij had haar echter van streek gemaakt, en dat was zeker niet de bedoeling geweest. Bij het hek kwam hij Clara op de fiets tegen. Hij remde af en opende het raampje. 'Kijk even bij je zusje. Ze voelt zich niet goed,' zei hij alleen, waarna hij de weg op reed.

Clara keek de auto na. Wat was er met Leandra? En waarom kwam hij met die mededeling? Wat deed hij hier? Ze wilde dat ze hem nooit had ontmoet. Ze had nog wel gedacht dat ze verliefd op hem was. Maar zijn aandacht ging natuurlijk uit naar Leandra.

Ze fietste naar huis, gooide haar fiets tegen de muur en liep naar binnen. In een paar stappen was ze boven. Ze opende Leandra's kamerdeur.

Het meisje lag voorover op haar bed, maar schoot nu overeind en keek haar met grote angstige ogen aan.

'Wat is er gebeurd? Ik kwam Paul Storm tegen. Hij zei dat ik naar je toe moest gaan.'

Leandra maakte heftige gebaren met haar handen, maar Clara kon er geen touw aan vastknopen.

'Wat heeft hij gedaan? Deed hij vervelend tegen je?' Ze pakte de altijd klaar liggende blocnote en gaf die aan Leandra.

Deze begon haastig te schrijven. 'Hij is een Duitser. Zijn vader heeft joden verraden.'

'Heeft hij je dat verteld?'

Leandra knikte met tranen in haar ogen.

Clara ging naast haar op bed zitten. 'De tijd is voorbij dat er joden worden verraden. Je hoeft niet meer bang te zijn. Als het waar is wat Paul zegt, heeft hij niets met de fouten van zijn vader te maken. Zijn vader zal vast wel gestraft zijn.'

Leandra knikte, maar de angst in haar ogen verdween niet.

Clara dacht aan de woorden van haar moeder: 'Probeer eens een gesprek met Leandra.' Het was zo moeilijk op deze manier. En als ze eerlijk was, kon ze er ook weinig geduld voor opbrengen. 'Je zou alles wat je nog weet, moeten opschrijven,' raadde Clara Leandra aan. Ze had niet het gevoel dat ze echt tot haar doordrong. De angst was nog steeds niet uit haar ogen verdwenen.

Clara aarzelde even, maar stond dan op. Ze kon toch niets voor het meisje doen. Ze ging naar de kamer van haar moeder.

Nadat Clara verteld had wat er gebeurd was, zei Ditte: 'Ik hoop dat die jongen nu vertrokken is.'

'Hij heeft Leandra van streek gemaakt. Ik wil hem hier niet meer zien. Hij beweerde zelfs dat hij Leandra kan helpen weer te praten.'

Daarop vertelde Clara wat ze gehoord had over Pauls vader. 'Misschien wilde hij haar echt helpen en bedoelde hij het goed,' zei ze.

'Kan zijn. Maar hebben we hem gevraagd of hij zich met Leandra wilde bemoeien? Zijn vader heeft joden verraden. Dergelijke lui hebben ervoor gezorgd dat Leandra's ouders zijn weggevoerd. Paul is wel de laatste persoon door wie Leandra zich zou laten helpen.'

Clara dacht na. Zou het zo zijn dat Paul door dat verleden

van zijn vader nergens werd geaccepteerd? Dat was eigenlijk best triest voor hem. Het leek erop dat hij wanhopig op zoek was naar mensen die hem ondanks de fouten van zijn vader accepteerden om hemzelf. Zij was verliefd op hem geworden, en dat was nog steeds niet helemaal over. Ze vond hem nog steeds leuker dan de meeste jongens die ze kende. Clara besefte niet dat juist de onzekerheid die Paul soms uitstraalde, haar had aangetrokken.

Die nacht schrok Clara plotseling wakker. Ze had iets gehoord wat niet bij de normale nachtelijke geluiden hoorde. Het kwam uit Leandra's kamer. Ze schoot haar bed uit en luisterde even later aan de deur. Droomde Leandra? Ze wilde net naar binnen gaan, toen ze ineens angstig, maar heel duidelijk hoorde: 'Nee, nee, nee.' Clara stond even doodstil. Had Leandra haar stem terug? Toen ze gerucht achter zich hoorde, draaide ze zich snel om.

Het was Maarten. 'Heeft ze weer een nachtmerrie? Laat mij maar.' Hij opende de deur en sloot die meteen achter zich.

Clara was even verontwaardigd, maar bedacht toen dat als iemand Leandra kon helpen, het Maarten moest zijn. Ze wist immers dat die twee heel vertrouwd met elkaar waren.

Maarten zat intussen op de rand van Leandra's bed en streelde haar kalmerend over haar rug. 'Stil maar. Er is niets aan de hand. Ik ben bij je. Er kan je niets gebeuren, Leandra.'

Het meisje klemde zich aan hem vast. Haar angst was bijna tastbaar.

'Zal ik bij je blijven?' vroeg hij zacht.

Leandra schoof meteen op. Ze dacht er blijkbaar niet bij na dat dit toch wel een vreemde situatie was. Ze voelde zich veilig wanneer hij bij haar was.

Het ontroerde Maarten. Mocht hij haar in de steek laten vanwege bepaalde vooroordelen?

Leandra kroop dicht tegen hem aan en viel algauw in slaap. Maarten lag echter wakker. Hij wist dat hij verliefd was. Meer nog, hij hield van Leandra. Maar zolang het meisje niet los kon komen van haar verleden, dacht ze vast niet aan iets dergelijks. O, hij was ervan overtuigd dat ze hem graag mocht, dat ze hem vertrouwde. Maar dat was niet genoeg. Zou het mogelijk zijn de mensen terug te vinden die haar hier hadden gebracht? Misschien konden zij vertellen wat er precies gebeurd was waardoor Leandra letterlijk met stomheid geslagen was. Hij moest toch eens proberen of hij iets te weten kon komen.

Toen Chris en Ditte enkele dagen later aan de koffie zaten, reed er een auto het erf op. Door het raam zag Ditte een lange man met een bos donker haar waaraan zo te zien nooit een kapper te pas kwam. Hij droeg een hoed met een brede rand. Even moest ze aan haar vader denken.

'Wie zullen we daar hebben?' Chris keek zijn vrouw aan alsof hij vermoedde dat zij er meer van wist.

Ditte haalde haar schouders op, maar haar twijfel duurde niet lang.

De vreemde kwam naar het huis toe en stapte zonder meer naar binnen. 'Zo, luitjes, aan de koffie? Ik lust ook wel een bakje na deze reis. Ik ben François. Jij bent dus de schilderes.' Hij gaf haar met een hoofs gebaar een handkus.

'Ik heb niet de eer u te kennen,' zei Chris stijfjes.

'Die eer komt u zomaar toevallen,' zei de ander luchtig.

Ditte was opgestaan en schonk een kop koffie voor hem in.

'Mm, goede sterke koffie. Als je ook zo goed kunt schilderen, komt het wel goed.'

'Wat heeft dit allemaal te betekenen. Is er iets wat ik moet weten?' vroeg Chris afgemeten.

'Weest u gerust, ik ben niet haar minnaar.' De man knipoogde naar Ditte, die een kleur kreeg. 'Nou, laat je werk maar eens zien, meisje.'

Zenuwachtig stond Ditte alweer overeind. 'Het gaat over een expositie,' zei ze over haar schouder. Ze ging François voor naar de gang en naar boven.

In haar kamer zei François: 'Dit is toch geen geheim voor je echtgenoot?'

'Ik heb hem nog niets verteld over een expositie, omdat ik niet wist of het doorging.'

'Dan zou ik hem maar snel inlichten. Straks hebben we alles geregeld en wordt het je verboden.'

'Hij zal mij niets verbieden,' zei ze. Ze liep naar het raam en ging in de vensterbank zitten.

François keek haar even aan en begon dan langzaam rond te lopen.

Ditte volgde hem met haar ogen.

Hij bestudeerde ieder schilderijtje nauwkeurig. Af en toe mompelde hij iets, en soms schreef hij iets op.

Leuke man, dacht Ditte waarderend. Ze stond verbaasd van zichzelf. Dit ging over haar werk. Het was puur zakelijk. Toen hij haar aankeek en glimlachte, begon haar hart echter te bonzen.

'Er zitten een paar aardige stukjes tussen,' zei hij. 'Geen meesterwerken weliswaar, maar voor dergelijke eenvoudige stukjes is misschien wel een koper te vinden. We moeten er wel voor zorgen dat het afwisselend blijft. Dus bijvoorbeeld dat zonnige plaatje naast die dreigende regenlucht.'

'Zouden er werkelijk mensen zijn die hiervoor belangstelling hebben?' vroeg ze zich hardop af.

'Ik zou me kunnen voorstellen dat iemand met dat zonnige stukje een wat somber hoekje wil opvrolijken. Zal ik ze maar inpakken?'

'Ik weet het niet,' aarzelde Ditte. Ze voelde de verkleinwoorden die François voortdurend gebruikte toch als een lichte minachting voor haar amateuristische geklieder.

'Ik doe dit ook omdat u mooi bent. En omdat u mij een aardige, maar eenzame jonge vrouw lijkt.' Hij begon enkele stukjes van de muur te halen, terwijl Ditte de laatste mededeling nog verwerkte. 'Heb je wat karton om ertussen te leggen?'

Ze stond op en gaf hem het gevraagde. 'We zullen twee keer moeten lopen.' Ze volgde hem de trap af, enkele uitgezochte stukken in een doos met zich meedragend.

Beneden zat Chris nog aan tafel. Blijkbaar wilde hij toch weten wat dit alles te betekenen had.

'We gaan uw vrouw beroemd maken,' zei de man.

'Denkt u werkelijk dat dit enige waarde heeft?' vroeg Chris, duidelijk verbaasd.

'Alles wat met het hart gemaakt is, heeft waarde,' zei François berispend. 'Dat hoeft niet altijd in geld te worden uitgedrukt.'

Chris volgde hen naar buiten en keek toe hoe ze de voorraad in de auto laadden. Hij voelde zich onrustig. Hij wilde eigenlijk helemaal niet dat zijn vrouw in de belangstelling zou komen te staan. Tegelijkertijd schaamde hij zich voor die gedachte.

'Ga je meteen met me mee om te kijken hoe we alles zullen ophangen?' François maakte een gebaar naar de stoel naast de bestuurdersplaats.

'Je bedoelt nu meteen?' Ditte keek naar haar kleding.

François reageerde prompt: 'Je hoeft je niet te verkleden. Wat daar rondloopt, let nauwelijks op uiterlijk. Hoewel jij zeker de aandacht zult trekken met je mooie snoetje. Kom, dan gaan we. Ik breng haar weer thuis,' zei hij achteloos tot Chris die daar nog steeds stond.

'Toch wel vandaag, hoop ik,' zei deze, voor zijn doen ad rem.

'Nou dat hangt er helemaal van af wat we gaan doen.' Het klonk plagend, maar Chris lachte niet. Zulke vrije omgangsvormen was hij totaal niet gewend.

'Tot straks dan maar,' zei Ditte een beetje onbeholpen. Ze ging eigenlijk nooit weg. Even vroeg ze zich af of ze Chris een zoen zou geven, maar ze deed het toch maar niet. Hij zou waarschijnlijk vreemd opkijken. Dus hief ze, toen ze in de auto zat, alleen haar hand omhoog.

Chris knikte vaag.

'Nou, de vlam slaat bij jullie ook niet meer in de pan,' zei François spottend.

Was dat wel ooit zo geweest, vroeg Ditte zich in stilte af. Ja, in het begin waren ze wel verliefd geweest. Maar bij de eerste vergelijking met Koosje was er al aan die gevoelens geknabbeld. Misschien trok zij zich de dingen te veel aan. Ze merkte dat François naar haar keek en zei: 'Ik ga zelden weg.'

'Nou, dan maken we er een uitje van. Als we de ruimte hebben ingericht, gaan we ergens eten. Wat mij betreft, ook slapen, maar ik heb zo het gevoel dat ik dan de verkeerde voor heb.'

'Daar zou ik maar van uitgaan,' antwoordde Ditte kortaf. Ze was nu ook weer niet zo'n groentje dat ze zich onmiddellijk door mooie woorden liet inpakken, vertelde ze zichzelf.

Chris liep langzaam in de richting van de schuur. 'Je mooie snoetje.' Dergelijke dingen zei hij nooit. Maar hij had aan

Dittes gezicht gezien dat ze het wel leuk vond. Terwijl hij aan het werk was, vroeg hij zich af of hij bezig was zijn vrouw te verliezen. Sterker, had hij haar wel ooit gehad? Had hij moeite gedaan om haar aan zich te binden? Van het begin af aan had hij haar vergeleken met zijn eerste vrouw, Koosje. Die had hem naar de ogen gekeken en had alles gedaan zoals hij het wilde. Van het begin af aan had hij geweten dat Ditte anders was. Eerst had hij dat juist boeiend gevonden. Hij was er trots op geweest dat hij een vrouw had die een beetje apart was. Maar al snel was het hem gaan ergeren dat de boerderij haar totaal niet interesseerde.

'Hé, pa, problemen?' Het was voor Maarten een vreemde gewaarwording zijn vader daar zo te zien staan, geleund op de bezem waarmee hij de stal zou aanvegen.

'Tja.' Chris aarzelde even, maar zei dan plompverloren. 'Je moeder is ervandoor.'

'Wát?' Maarten kreeg even een visioen van Ditte die was weggelopen, die wilde scheiden. Maar dat kwam hier nooit voor.

'Ze is mee met die kunstenaar. Zag je zijn auto niet op het erf?'

'Ja, nu je het zegt. Ik zag een vrachtwagentje wegrijden. Ik dacht dat het met de melkmachine te maken had.'

'Die komt morgen. Dit was een kunstenaar die Dittes schilderstukjes wil exposeren.'

'Hoe kent die vent haar dan?' vroeg Maarten verbaasd. 'Ik bedoel, Ditte komt nooit verder dan hier op de boerderij of het dorp.'

'Door die Paul Storm.'

'Ah. Door hem raakte Leandra helemaal van streek. Wat komt hij hier steeds doen? Hij brengt alleen maar onrust.'

Chris ging eindelijk door met zijn werk. Hij veegde met nijdige streken. Ditte had toch wel eerst met hem kunnen overleggen. Zou ze gedacht hebben dat hij het niet goed zou vinden. Nou, als hij eerlijk was, prettig vond hij het niet. Maar Ditte was een volwassen vrouw. Hij kon haar moeilijk opsluiten. Zoals die vent naar haar had gekeken met zijn 'mooie snoetje'.

Met luid gekraak brak de bezem doormidden. Chris gooide hem met een nijdig gebaar van zich af en liep met haastige passen de schuur uit.

Maarten keek hem even na. Een en ander zat zijn vader danig dwars. 'Je moeder is ervandoor', had hij gezegd. Maarten was oud genoeg om te weten dat het huwelijk niet optimaal was. Je kon er de laatste tijd steeds meer over lezen hoe een relatie hoorde te zijn. Om een huwelijk goed te houden moest je belangstelling voor elkaar hebben, in elkaars werk geïnteresseerd zijn. Nou, dat was hier ver te zoeken. Ze leefden ieder hun eigen leven. Stel nu eens dat Ditte verliefd werd op een van die kunstenaars. Wat zou ze doen? Zou ze haar gevoelens negeren? Hij dacht van wel. Zijn ouders waren in de kerk getrouwd tot de dood hen zou scheiden. Toch was Maarten er niet helemaal gerust op. Kon hij er maar met iemand over praten. Clara was daarvoor niet de aangewezen persoon. Leandra wel. Maar communicatie op papier was niet geschikt om zoiets te bespreken. Terwijl hij juist zo veel met haar te bepraten had. Over het feit dat hij een paar dagen in een manege wilde gaan werken. En dat zijzelf hier in de buurt misschien een praktijk kon beginnen als dierenarts. Hij zou dan haar eerste klant zijn als er iets mis was met een van de paarden. Maar het was allemaal nog toekomstmuziek. Hij moest niet alleen het werk leren, het kostte ook veel geld. De aanschaf van paarden, de bouw van stallen. Zijn vader had geld, en zijn grootvader ook. Maarten vreesde echter dat ze niets in zijn project zagen. En al evenmin in het feit dat hij met

Leandra wilde trouwen. Daar was het meisje zelf trouwens ook nog niet van op de hoogte. Toch zou hij met haar moeten overleggen, zodat ze hun plannen op elkaar konden afstemmen. Eerst en vooral wilde hij het adres proberen te achterhalen van de mensen die haar hier hadden gebracht.

Ditte kwam die avond pas laat thuis. Ze had al gegeten. 'Jullie zijn dus maar stomweg blijven wachten,' zei ze geprikkeld.

'Je eet altijd met ons samen. We wisten niet waar je was.' Clara klonk verongelijkt.

'Ach ja, je hebt ook gelijk.' Ze streek even over Clara's blonde hoofd. 'Ik was gewoon de tijd vergeten.'

'Het was blijkbaar erg boeiend.' Chris klonk scherper dan hij eigenlijk bedoelde.

Leandra, die van niets wist, keek van de een naar de ander.

'Ditte gaat haar schilderijen tentoonstellen,' zei Chris.

'Je meent het. En waar dan wel? Op de bazar van de kerk,' meende Leendert het antwoord te weten.

'Zeker niet,' zei Ditte stellig. 'Met moeite wilden ze daar enkele stukjes hebben voor de verkoop.'

'Ze weten wel zo'n beetje wat goed verkoopt,' zei Leendert.

Ditte reageerde niet, maar dekte met snelle gebaren de tafel. Het irriteerde haar dat ze hadden gewacht. Het was alleen maar een automatisme. Er wordt voor ons gezorgd.

'En word je nu beroemd?' vroeg Leendert, nadat hij een kort gebed had gezegd.

Ditte antwoordde niet. Haar gedachten waren bij de afgelopen middag. Bij François. Hij had met haar geflirt, en ze wist heus wel dat ze dat niet serieus moest nemen. Maar toch was het leuk zo veel aandacht van een man te krijgen.

Over enkele weken werd de tentoonstelling geopend. Ze moest er dan weer heen, of hij kwam haar halen. Er hingen ook werkjes van anderen. Er was ook beeldhouwwerk. Misschien kwam François nog een keer langs, als hij wat ruimte overhad. Maar hij kon zijn bezoek niet aankondigen, omdat ze geen telefoon hadden. Ze had hem wel gevraagd aan het begin van de middag te komen. Iedereen was dan aan het werk of naar school. De reden had ze overigens niet genoemd. Maar ze wilde wel zo veel mogelijk conflicten vermijden. Ze had echter het idee dat François heel goed begreep waarom ze die tijd had genoemd. Het was nog maar de vraag of hij zich eraan zou houden. Hij was zo'n type dat zijn eigen gang ging en zich nergens iets van aantrok.

'Nou, Ditte is blijkbaar diep onder de indruk geraakt, en het is nog maar de vraag waarvan.'

Leendert schoof zijn bord opzij en hield een moment de pet voor de ogen. Dit was voor de anderen het teken om ook even het hoofd te buigen. Iedereen ging daarna zijns weegs, maar Chris bleef dralen. 'Je hebt niet veel te vertellen,' zei hij eindelijk tegen Dittes rug.

Ze haalde haar schouders op. 'Er is niets te vertellen. Althans, geen zaken waar jij belang in stelt.'

'Ik vind het niet goed dat je met een vreemde kerel meegaat,' barstte Chris plotseling uit.

Ditte staarde hem aan. 'Ik had geen andere mogelijkheid dan met hem mee te rijden,' zei ze dan. 'Wij hebben geen auto.'

'Je hoefde niet met hem te gaan eten,' zei Chris. Hij vroeg zich af of Ditte nu ook al begon aan te dringen op allerlei vernieuwingen. Zo'n kerel zou het belachelijk vinden dat ze geen eigen vervoer hadden.

'Dat is nou eenmaal normaal in die kringen.'

'Je doet alsof je daar nu al thuis bent. Koosje zou nooit...'
Hij zweeg toen hij haar blik zag.
'Zij is er niet meer,' herinnerde ze hem. 'Het wordt tijd dat dat eens tot je doordringt.'
'De kinderen hebben je nodig.'
'Ik ben er toch. Ik was één middag weg. Trouwens, de kinderen zijn volwassen.' Ze pakte haar tas en verliet de keuken. Eenmaal boven ging ze op haar plekje in de vensterbank zitten. De onrust van Chris had haar geraakt. Hij was bang haar kwijt te raken. Was dat omdat hij haar niet missen kon, omdat hij haar nodig had, omdat hij van haar hield? Hechtte hij aan vaste gewoonten? Waarom zei hij niet gewoon wat hem dwarszat. Dan was die François heel anders. Die flapte er alles maar uit en had haar al verschillende keren verlegen gemaakt. Ze had niet gedacht dat ze nog eens zo door een man geboeid zou raken. Maar er was geen gevaar, wat François betreft. Hij was een allemansvriendje. Hij was haar type niet.

Maarten ging die avond samen met Leandra op bezoek bij Clara. Hij kwam anders nooit in de kamer van zijn zus, en deze was dan ook hoogst verbaasd.
'Wat vind jij van moeder?' viel Maarten met de deur in huis.
'Van moeder?' herhaalde Clara.
Leandra lachte even. Zij had onmiddellijk begrepen waarover Maarten zich zorgen maakte. Ze had hem willen geruststellen, willen zeggen dat zijn moeder veel te serieus was voor een avontuurtje. Maar voor de zoveelste keer was zij tegen haar gebrekkige communicatie aangelopen. Waarom lukte het spreken niet? Als ze één woord kon zeggen, moest de rest toch ook mogelijk zijn?
'Ze ging zomaar de hele dag weg met een vreemde vent,' mopperde Maarten.

'Het was voor haar schilderen. Ik meen dat Paul dat voor haar heeft geregeld.' Clara zag de schrikreactie van Leandra, maar reageerde er niet op. 'Je weet hoe graag ze schildert. En hier is natuurlijk geen enkele mogelijkheid,' voegde ze er nog aan toe.

'Ik ben er niet gerust op. Misschien is ze wel verliefd,' zei Maarten.

'Houd toch op. Moeder wordt op haar leeftijd echt niet meer verliefd.'

'Kom nou, ze is nog geen veertig. En de romantiek is hier ver te zoeken. Of denk je dat vader en moeder een goed huwelijk hebben?'

Clara beet op haar lip. 'Daar heb ik nooit bij stilgestaan,' zei ze langzaam. 'Maar zelfs als je gelijk hebt... Moeder gaat er heus niet met een ander vandoor.'

'Die dingen gebeuren,' zei Maarten somber. Hij liep de kamer uit, en Leandra volgde hem. Hij wilde met haar praten, had hij gezegd.

Even later zaten ze op haar kamer.

Leandra had haar blocnote voor zich. Haar bruine ogen keken Maarten verwachtingsvol aan.

'Leandra, ik ben van plan uit te zoeken waar jij werkelijk vandaan komt.' Snel ging hij verder toen hij haar afwerende blik zag. 'In Rotterdam woonden de mensen die jou hier gebracht hebben. Ik kom daar iedere week vanwege de paarden. Je wilt toch eindelijk wel eens iets meer weten. Misschien zijn er nog familieleden.'

'Er is niemand,' schreef ze met grote krabbels op. Haar blik schoot heen en weer alsof ze een uitweg zocht om te vluchten.

'Ik weet van je ouders, en dat is al erg genoeg. Maar de mensen die jou indertijd hier brachten, hadden het ook over een broer...'

'Nee, nee.' Leandra schreeuwde nu.

Kalmerend legde hij een arm om haar heen. 'Misschien weten zij iets meer,' probeerde hij nog.

'Ik weet genoeg,' schreef ze, en ze schudde daarbij zo heftig haar hoofd dat haar donkere haren alle kanten op vlogen.

Maarten zei er niets meer over. Straks liet ze hem nog beloven dat hij geen zoektocht zou beginnen. En dat kon en wilde hij niet beloven.

Diezelfde week kwam François opnieuw opdagen. Hij zei dat hij nog wel een paar schilderijtjes kon plaatsen.

Ditte nam hem mee naar haar kamer. 'Zoek maar uit.'

'Ach, je hebt er nog een aardig stukje bij gemaakt.' Peinzend keek hij naar de aquarel met slechts enkele bloemen.

'Ik wil wel graag dat je nu met me meegaat,' zei hij.

'Is dat echt nodig?' zei Ditte geschrokken.

'Het gaat om jouw werk. Je moet zelf beslissen waar het komt te hangen. Wanneer de expositie is geopend, moet je daar ook af en toe zijn. Bij de opening zelf, maar we zullen daar nog enkele dagen aan vastknopen.

'Ik kan maar niet hele dagen weg,' protesteerde Ditte.

'Ik heb niet de indruk dat je hier op de boerderij zo onmisbaar bent,' zei François scherp.

Ditte zei niets. Hij had gelijk. Ze had zich ook nooit onmisbaar gemaakt. Ze begreep echter dat ze nu niet kon weigeren mee te gaan. Al zou de beslissing hoe haar werk geëxposeerd werd, toch bij François liggen. Ze kon best weg. Iedereen was naar school of aan het werk. Beneden vond ze tot haar verbazing Leendert in de kamer. Hij zat in een gemakkelijke stoel en wuifde zich met een rode zakdoek koelte toe. 'Ik heb last van de hitte,' zei hij kortaf.

Hij had inderdaad een rode kleur, zag Ditte. Tot haar opluchting reageerde hij niet op de aanwezigheid van François, noch op het feit dat ze klaarblijkelijk met hem mee-ging. 'Nou, je bent op een leeftijd dat je af en toe best eens wat rust mag nemen,' zei ze vriendelijk.

Hij wierp haar een vernietigende blik toe, maar zei niets.

Eenmaal buiten keek Ditte even om zich heen. Het was een mooie junidag, maar overdreven warm was het zeker niet. Even vroeg ze zich af of ze Chris moest waarschuwen dat zijn vader zich mogelijk niet lekker voelde. Maar ze zag ervan af. Leendert zou vast niet willen dat zij zich ermee bemoeide.

Ze liep naar de auto en bleef even staan voordat ze in-stapte. 'Het is hier zo mooi,' zuchtte ze, alsof ze het af-wisselende landschap met zijn vele tinten groen en de bloe-mendijken vlakbij voor het eerst zag. Een groepje schapen graasde langs de dijk, andere schapen herkauwden in de schaduw van een stel bomen.

'O, zeker,' zei François terwijl hij het portier voor haar opende. 'Maar ik zou hier gek worden van de stilte.'

Er was inderdaad niets te horen behalve een leeuwerik hoog boven hen. 'In de winter moet het hier vreselijk zijn,' voegde hij er nog aan toe.

Ditte zei niets. Ze kon zijn kritiek op haar vertrouwde omgeving niet goed hebben, hoewel ze zelf ook vaak naar het sombere winterlandschap had gestaard met de gedach-te dat er geen sprankje leven te bespeuren viel.

Toen ze onderweg waren, vertelde François allerlei anek-dotes over datgene wat hem door kunstenaars werd verteld. Plotseling zei hij: 'Er is iemand die je wil schilderen.'

'Mij?' Verbaasd keek ze hem aan. 'Waarom?'

'Omdat je mooi bent en een bepaalde onschuld uitstraalt. Jouw vraag wijst ook op dat laatste. Weet je niet dat je mooi bent?'

'Ach.' Ze haalde haar schouders op.

'Het wordt natuurlijk nooit tegen je gezegd. Die man van je ziet het niet eens.'

'Chris houdt zich daar niet zo mee bezig. Een bijkomend voordeel is dat ik hem volledig kan vertrouwen. Hij ziet andere vrouwen niet eens.' Hij ziet een vrouw alleen als ze belangstelling heeft voor de boerdrij en goed meewerkt, als ze van aanpakken weet, dacht ze erachteraan. Maar ze zei het niet.

'Wil je geschilderd worden?' vroeg François nu.

'Ik denk het niet.'

'Ieder ander zou zeer vereerd zijn. Ah, je bent bang dat je in je blootje moet.'

'Dat zou ik helemaal nooit doen,' zei ze beslist.

Hij keek even van opzij naar haar en dacht aan zijn vriend, die gecharmeerd was van dit pittige donkere vrouwtje. Hij had beweerd dat Ditte zo'n beetje gevangen werd gehouden in een boerderij aan het eind van de wereld. Het leek hem moeilijker dan hij had gedacht deze vrouw voor zich te winnen. Onder haar lieve uiterlijk school een sterke persoonlijkheid.

5

Leandra was degene die Leendert vond. Hij hing scheef-gezakt in een stoel en had een hoogrode kleur. Hij probeerde almaar iets te zeggen, maar Leandra kon hem niet verstaan.

'Nee, nee, niet...' prevelde ze.

Hij keek haar even aan en sloot zijn ogen weer. Ze zou niets kunnen doen. Ze kon niet eens iets tegen hem zeggen. Hijzelf leek ook niet uit zijn woorden te kunnen komen. De woorden die uit zijn mond kwamen, leken niet op wat hij werkelijk wilde zeggen: Haal hulp.

Die woorden had Leandra echter niet nodig. Ze zag zo ook wel dat er iets goed mis was. Ze holde naar buiten en keek uit over het land. Er was niemand te zien. Dan herinnerde ze zich dat Maarten in de schuur bezig was met het installeren van de melkmachine. Ze holde er heen en vond hem daar in gesprek met zijn vader. Maarten glimlachte naar haar, maar ging door met praten. Zij zou immers toch niets zeggen.

Leandra wrong haar handen in elkaar. 'Maarten,' stootte ze plotseling uit.

Onmiddellijk stil staarden ze haar aan. Ze wees naar het huis. 'Help!' Dan maakte ze gebaren dat ze erheen moesten gaan.

Ze begrepen dat er iets ernstigs aan de hand moest zijn en volgden haar. Ze vonden Leendert nog steeds scheefhangend in zijn stoel. Chris begon onmiddellijk allerlei vragen te stellen, waarop alleen wat onsamenhangend gemompel te horen was.

'Laat maar, pa. Het heeft geen zin. We moeten een dokter waarschuwen.'

Hierop begon Leendert onmiddellijk afwerende gebaren te maken. Maarten wenkte zijn vader mee naar de gang. 'Het zal een beroerte zijn. Maar hij verstaat wel wat we zeggen.'

'Waar is Ditte?' Chris riep haar naam onder aan de trap.

Maarten, die de auto van François had gezien, vreesde het ergste.

'Is ze er niet?' vroeg Chris, er blijkbaar van uitgaand dat zijn zoon er alles van wist.

'Het zou kunnen dat ze weer voor die schilderijen weg is,' antwoordde Maarten voorzichtig.

Chris knarsetandde hoorbaar. 'Ik ga naar de buren,' zei Maarten. En zachter: 'Hadden we nu maar telefoon.'

'Het is aangevraagd,' verdedigde zijn vader zich.

Maarten wist dat, en ook dat het erg druk was met aanvragen. Het had geen zin nu te zeggen dat ze al jaren telefoon hadden kunnen hebben.

Chris ging terug naar zijn vader. Leendert was nog steeds bij bewustzijn, maar zijn reacties waren traag. Chris durfde niet te vragen of hij praten kon. Als dat niet zo was, zou dat wel heel erg voor hem zijn. Zijn vader had overal een mening over en liet deze ook te pas en te onpas horen.

Maarten stoof intussen op de fiets naar de boerderij van Caspers. Hij keek rond of hij Leandra ergens zag. Ze had een paar woorden gezegd, en als eerste zijn naam. Ondanks de waarschijnlijk ernstige toestand van zijn grootvader overheerste toch een gevoel van blijdschap. Als Leandra enkele woorden kon zeggen, zou de rest vroeg of laat ook zeker volgen.

Maarten reed achterlangs en vond Nelia op de schuurplaats.

Nelia's wangen werden vuurrood toen ze hem zag. 'Maarten,' zei ze een beetje ademloos.

Hij knikte kort. 'Zou ik even de dokter mogen bellen. Het gaat niet goed met grootvader.'

'Natuurlijk.' Ze droogde haar handen aan haar schort en ging hem voor naar de gang, waar het toestel hing. Ze bleef erbij staan, maar Maarten draaide haar zijn rug toe. Toen hij klaar was, zei ze: 'Je kunt mijn auto wel lenen als je grootvader naar het ziekenhuis moet.'

'Er komt een ambulance,' zei hij kortaf.

'Maar je ouders zullen mee willen. Dat kan niet in de ambulance. Je hebt toch een rijbewijs.'

'Ik ben bezig.' Hij liep naar buiten, geërgerd door haar bemoeizucht.

'Ik kan jullie wel rijden,' zei ze achter hem.

Maarten wilde het aanbod al afwijzen, maar bedacht toen dat het toch wel handig was. Zijn vader had ook nog steeds geen tijd gevonden om zijn rijbewijs te halen. 'Ik weet niet of het nodig is,' zei hij, op het punt van wegfietsen.

'Ik kom wel achter je aan. Dan hoor ik het wel,' zei Nelia voortvarend.

Maarten stapte op zijn fiets en reed weg. Het mocht goedbedoeld zijn, maar er zat meer achter. Hij was niet gek. Hij kwam Nelia voortdurend toevallig ergens tegen. Toen hij het hek binnenreed, stopte haar auto vlak achter hem. De ambulance was er al. 'Kan er iemand mee?' vroeg Maarten aan de chauffeur.

'Behalve de patiënt zou je vader er nog bij kunnen. Maar handig is het niet. We hebben alle ruimte nodig.'

'Goed, dan rijden we met jou mee.' Hij knikte kort naar Nelia. 'Ik zoek eerst Leandra.'

'Moet zij ook mee?'

Maarten keek het meisje aan, die de ogen neersloeg.

'Ik weet niet of ze hier alleen wil blijven.'

Nelia zei niets. Wat was dat kind toch belangrijk voor

hem. Maar geschikt als zijn vrouw was ze niet. Dat wist Nelia wel zeker. Maartens vader was echter ook met een vrouw getrouwd die totaal niet bij hem paste. Waar was die eigenlijk? Moest die ook nog meerijden? Waar was ze aan begonnen? Ze had gehoopt op een ritje met alleen Maarten. Ze had gehoopt op zijn bewondering omdat ze zo goed kon rijden. Ze week wat achteruit toen de broeders met de brancard naar buiten kwamen. Leendert lag vastgesnoerd en was tot aan zin kin toegedekt. Hij had de ogen gesloten. Ze zaten hier nu wel in de problemen, dacht Nelia. Maarten zou zijn werk in de manege nu wel moeten opgeven. Het was midden in de zomer. Er was niet zomaar een andere goede werkkracht beschikbaar. Ze liep langzaam naar de auto en zag toen Maarten met Leandra. Hij had zijn arm om haar heen geslagen en praatte zacht. Het meisje knikte af en toe. Even later stapte Chris voor in de auto. Maarten schoof achterin. Dat was niet precies de bedoeling geweest, maar ze kon moeilijk zeggen dat ze Maartens vader achterin wilde hebben.

'Leandra blijft thuis. Er moet iemand zijn wanneer moeder terugkomt. Clara is pas laat uit school.'

Chris knikte. Nu was er dus niemand op de boerderij dan een meisje van negentien dat niet kon praten. Hoe kon Ditte zomaar verdwijnen zonder iemand iets te zeggen? Hij zou toch eens een hartig woordje met haar moeten spreken. Hoe zou dit allemaal aflopen? Zijn vader was niet echt in levensgevaar, had de dokter gezegd. Maar straks kwam de man wellicht als een hulpbehoevende bejaarde weer thuis. Wie moest er dan voor hem zorgen? Alles was vast anders was gelopen als Koosje indertijd... Kijk naar Nelia. Een flinke vrouw, die van aanpakken wist. Die zelfs al auto reed. Chris vergat voor het gemak even dat hij die kunst zelf ook nog niet onder de knie had. Hij zou echt met Ditte moeten praten. Zo ging het niet langer. Zomaar verdwijnen. Hoe haalde ze het in haar hoofd?

Ditte had overigens allang naar huis gewild, maar ze moest wachten totdat François genegen was haar terug te brengen. Die maakte echter geen haast. Ze had hem al een paar keer een hint gegeven, maar hij negeerde haar. Ze moest toegeven dat de expositieruimte er sfeervol uitzag. Er hingen nu ook wat schilderijen van iemand wiens voorkeur kennelijk uitging naar afbeeldingen van zeer schaars geklede vrouwen. Toen de schilder hiervan zelf kwam opdagen, begreep ze dat hij degene was die haar wilde schilderen. Dat maakte dat zij zich niet op haar gemak voelde. Maar hij was aardig en vol belangstelling. Hij repte met geen woord over poseren. Misschien had François het maar verzonnen om haar uit de tent te lokken.

'Het zou best kunnen dat die werkjes van jou een succes worden,' zei de schilder, die Lars bleek te heten.

'Ze zijn aardig, maar simpel,' antwoordde François.

Hij zou er wel voor zorgen dat ze geen verbeelding kreeg, dacht Ditte. 'Ik zou graag terug naar huis willen,' zei ze nu dwingend.

'Waarom heb je toch zo'n haast? Moet je de koeien gaan melken?' spotte François.

Ditte besloot op hetzelfde moment niet meer met François mee te rijden. Tijdens de expositie zou ze voor eigen vervoer zorgen.

'Als je hebt beloofd haar thuis te brengen, moet je die belofte houden,' liet Lars weten.

'Waarom wil ze in de stad exposeren als ze niet van huis weg kan,' zei François alsof Ditte er niet bij was.

'Ik breng je wel,' zei Lars.

'Aha', klonk het van de ander.

Ditte vroeg zich af of ze hier verstandig aan deed. Ze kende Lars helemaal niet. Hij leek haar wel aardig, maar dat zei niets.

'Je kunt veilig met hem mee. Hij is een brave jongen,' spotte François.

Ditte besloot het er maar op te wagen. Ze was tenslotte volwassen. En ze wilde nu echt naar huis. Niemand wist waar ze was.

Later zat ze samen met Lars in een gele deux-chevaux, een lelijke eend. Toen ze eenmaal reden, begreep Ditte waarom de schommelende auto zo werd genoemd. Deze auto's waren op dit moment zeer populair.

'De vering is niet geweldig,' gaf Lars toe, 'maar het is wel wat mijn budget toelaat.'

'Ik vind het fijn dat je mij wilt brengen,' zei ze.

Hij wuifde haar woorden weg.

'Kleine moeite. Wie wil er nou niet met zo'n mooie vrouw in een auto zitten. Ik zou je graag schilderen. Maar François zei dat je er niets voor voelde.'

Ditte keek hem even aan. 'Er zijn genoeg mooie vrouwen.'

'Dat zou best kunnen. Maar jij hebt iets speciaals. Ik hoop altijd dat ik met een bepaald schilderij een doorbraak bereik. Het is maar een mager bestaan, dat van kunstschilder. Overigens zou ik niet anders willen.'

'Ik zal er nog eens over denken. Maar ik ga in geen geval uit de kleren,' zei Ditte.

Hij glimlachte. 'Dat is je eigen keus. Ik stel me voor je te schilderen in een prachtige lange jurk.'

Inmiddels waren ze in Zeeland, en hij vroeg haar hoe hij precies moest rijden. 'Het is hier prachtig,' zei hij. 'Ik kan me voorstellen dat je hier tot schilderen komt. Ik heb begrepen dat je op een boerderij woont?'

Ditte vertelde hem het een en ander over haar leven, en ze verbaasde zich later over haar openhartigheid. Maar hij was vol belangstelling. Toen ze de boerderij zagen liggen, zei ze: 'Het laatste stuk wil ik graag gaan lopen.'

'Prima.'

Ze was blij dat hij er verder geen punt van maakte.

'Ik hoop je nog eens te zien,' zei hij toen hij bij het hek stopte. Hij stapte uit, opende het portier voor haar en kuste haar op beide wangen. Hun ogen vonden elkaar even.

Ditte keek snel weg. Hij was echt heel aardig. Dan liep ze snel de brede dreef op naar de boerderij. Ze wist zeker dat hij haar nakeek, maar ze durfde niet om te kijken. Even later vond ze dat ze zich belachelijk gedroeg en keek toch. Hij stond nog bij de auto en stak zijn hand omhoog.

Ze deed vluchtig hetzelfde en zette het even later bijna op een rennen.

Het was heel stil om het huis, en even had ze de hoop dat ze haar zelfs niet gemist hadden. Ze liep door de achterdeur naar binnen. Ook in huis was het doodstil. Behalve het zoemen van een vlieg die steeds opnieuw probeerde door het raam heen te vliegen, was er niets te horen.

In de kamer keek ze om zich heen. Er was met stoelen geschoven. Misschien was er iets gedronken, hoewel dat met dit warme weer meestal buiten gebeurde.

Ditte liep nu de trap op naar haar kamer. Die zag er een beetje leeg uit nu er zoveel schilderijtjes weg waren.

Toen de deur werd geopend, was ze blij Leandra te zien.

'Eindelijk een teken van leven. Waar is iedereen?' vroeg ze.

Ze gaf Leandra de blocnote die ook hier altijd klaarlag.

Het meisje schreef snel enkele zinnen op.

Ditte las: 'Ze zijn naar het ziekenhuis met Leendert.' Meteen zag ze haar schoonvader weer voor zich vlak voordat ze vertrok. Hij had er verhit uitgezien, maar hij had niet gezegd dat hij zich niet goed voelde. Toch had ze even gedacht dat het vreemd was dat Leendert daar zomaar zat. Maar ze was wel vertrokken. Waarom had hij dan ook niets gezegd? Zou ze dan thuis gebleven zijn? Ze wist het echt niet. Maar ze wist wel dat Chris haar dit zeer kwalijk zou nemen. Het kwam niet in haar op dat ze niet hoefde te zeggen dat ze Leendert nog had gezien.

'Wat is er met hem?' vroeg ze aan Leandra.

'Hersenbloeding?' schreef het meisje.

Lieve help, dat was ernstig. Toen ze een auto op het erf hoorde, keek ze uit het raam. Het was dat meisje van Caspers, die kennelijk Chris en Maarten thuisbracht. Ze keek even naar Leandra, die op haar lip beet.

'Dit kon denkelijk niet anders,' zei ze, terwijl ze even een hand op Leandra's schouder legde. 'Het was maar een autoritje.'

Ditte wist dat Leandra en Maarten elkaar bijzonder graag mochten. Ze was er ook zeker van dat Maarten niets zou beginnen met dat meisje van Caspers. Ze liep naar de deur om naar beneden te gaan. Ze kon de zaak maar beter meteen onder ogen zien. 'Kom.' Ze stak haar hand uit naar Leandra, maar deze schudde haar hoofd. Ditte liep wat trillerig de trap af. Zelf zag ze ook tegen de confrontatie op.

Ze liep meteen door naar buiten, waar Chris het meisje van Caspers uitvoerig bedankte.

Maarten kwam meteen naar haar toe. 'Grootvader moest in het ziekenhuis blijven,' zei hij.

'Is het ernstig?' vroeg ze.

'Stel je daar belang in?' vroeg Chris, terwijl hij haar voorbijliep naar binnen.

Ditte volgde. 'Zal ik koffie zetten?' vroeg ze.

'Je had thuis moeten zijn. Was je weer met die schilder op pad?'

'Leendert heeft niet gezegd dat hij zich niet goed voelde. Hij zei alleen dat hij het warm had.'

'Als je even met iets anders bezig was geweest dan met jezelf, had je kunnen weten dat mijn vader nooit last heeft van de warmte. En dat hij zeker niet in een stoel gaat zitten terwijl er zo veel werk is. We zullen eens moeten praten, Ditte. Dit gaat zo niet langer. Als je er voortdurend vandoor gaat, moet je maar wegblijven. Dan weet ik waar ik aan toe ben.'

Ze keek hem ongelovig aan. Dit was toch wel een heel straffe uitspraak uit Chris' mond.

'Je overdrijft. Door die expositie ben ik een paar keer weg. Maar wanneer dat is afgelopen...'

'Dit is het begin van en heel ander bestaan voor jou, Ditte. Als je dit doorzet, dan...' Hij haalde zijn schouders op. 'Je hebt al enorm veel vrijheid als je kijkt naar andere vrouwen hier. Maar je neemt steeds meer. Misschien kom je er eindelijk achter dat je niet past op een boerderij.' Hij stond op. 'In ieder geval zal er, als mijn vader thuiskomt, voor hem gezorgd moeten worden. Dan zul je een keuze moeten maken, Ditte.' Hij verliet de kamer.

Ditte zakte op een stoel neer. Zou hij werkelijk verwachten dat zij zijn vader zou verzorgen als deze hulpbehoevend terugkwam? Dat zou Leendert zelf vast niet willen. Maar was er wel een andere oplossing? Moest zij de keus maken tussen hier blijven en haar schoonvader verzorgen en dus nooit meer tijd hebben om te schilderen, of weggaan? Waarheen? Ze kon niet voor zichzelf zorgen. Welke vrouw kon dat wel in deze omgeving? Zou ze alles hier in de steek willen laten? Even dacht ze aan Lars. Wat zou hij hiervan zeggen? Nou, dat kwam ze niet te weten, want ze zou het hem niet vertellen. Voorlopig was Leendert nog in het ziekenhuis. En wellicht kwam hij nooit meer thuis. Ze schaamde zich voor die gedachte. Dat was niet bepaald erg menslievend. Nu was hij zelf ook niet erg sociaal, maar dat was natuurlijk geen excuus voor dergelijke gedachten.

Die avond gingen Chris en zijn zoon opnieuw naar het ziekenhuis, en weer was Nelia degene die hen bracht.

'Ik vind dat we zelf een auto moeten aanschaffen,' zei Maarten aan tafel. 'Als ik slaag, heb ik binnen een maand mijn rijbewijs. Ik vind dat we allemaal moeten leren rijden. Vader natuurlijk, maar moeder en de meisjes ook.'

'Dan kan je moeder erop uittrekken wanneer ze maar wil,' reageerde Chris bitter.

'Je hebt nu zelf gezien hoe afhankelijk we zijn,' antwoordde Maarten zonder op dat laatste te reageren.

'Als jij wat meer interesse toonde in dat meisje van Caspers, was het geen enkel probleem,' zei Chris.

'Nelia interesseert mij geen steek,' was het duidelijke antwoord.

'Je weet niet wat goed voor je is,' bromde Chris geprikkeld.

'Wil je dat ik vanavond met jullie meega?' vroeg Ditte aarzelend.

'Nee. Je hebt hem aan zijn lot overgelaten om met die schilder mee te gaan. Nu gaan we niet net doen alsof je ook maar enig belang in hem stelt.'

Ditte bleef met een vaag schuldgevoel achter. Want Chris had gelijk. Als ze had nagedacht, had ze kunnen weten dat er iets niet in orde was met Leendert. Ze had alleen aan zichzelf gedacht. Ze had even gemeend dat ze misschien een vrijer leven kon hebben. Dat het werk dat ze met zo veel plezier deed, misschien iets zou kunnen opleveren. Iets meer dan een geringschattende opmerking van de een of ander. Niet dat ze verwachtte geld te verdienen met de aquarellen en tekeningen, maar iets meer waardering zou haar toch een opkikker geven.

Ditte begon de tafel af te ruimen. Hoe zou dit allemaal aflopen? Ook als Leendert dit overleefde, zouden er veel dingen veranderen. Chris zou een volwaardige knecht kwijt zijn, en Leendert zou verzorging nodig hebben. Er zou van haar worden verwacht dat zij die zorg op zich nam. Ze voelde zich rusteloos en besloot de meisjes te vragen beneden te komen.

Die waren niet echt onder de indruk van het feit dat hun grootvader er zo ernstig aan toe was. Eigenlijk was dat triest, maar Leendert had zich niet bepaald geliefd gemaakt.

'Gelukkig dat jij er bent en zo veel tijd hebt,' zei Clara argeloos tegen haar moeder. En toen ze Dittes blik opving: 'Als hier geen moeder was, zou ik misschien thuis moeten blijven van school. Dat gebeurt soms. Kijk maar naar Plona Bras.'

Inderdaad werd de moeder van dat meisje, die een ernstige spierziekte had, volledig door haar dochter verzorgd. Maar dat was niet gezond, dacht Ditte opstandig. De toekomst van dat meisje had geen enkel perspectief.

'Ik denk dat pappa verwacht dat jij het zult doen,' zei Clara ten overvloede.

Leandra griste de blocnote naar zich toe en schreef: 'Ik kan het doen.'

'Jij? Leandra, jij hebt geen tijd. Je gaat studeren. Je wilt dierenarts worden. Nog afgezien van het feit dat Leendert het niet zou willen.'

'Ik vrees dat hij niets te willen heeft,' zei Clara.

'We kunnen het allemaal samen doen. Taken verdelen,' schreef Leandra.

'Het zou dan wel prettig zijn als je kon praten,' merkte

Clara vinnig op. Zij vond een dergelijk plan helemaal niets, en was niet van plan eraan mee te werken.

'Laten we niet op de zaken vooruitlopen,' zei Ditte.

'Ik kwam die Paul Storm weer tegen,' zei Clara dan. 'Hij vraagt voortdurend naar Leandra. Misschien is hij verliefd op je.'

Leandra's ogen sperden zich wijd open, en ze schudde heftig haar hoofd.

'Het is best een aardige jongen. Hij vindt je interessant. Hij denkt dat hij je kan helpen weer te praten.'

'Het was beter geweest als je hem nooit ontmoet had. Hij heeft alleen maar onrust gebracht,' zei Ditte. Als hij er niet was geweest, was het nooit in haar opgekomen een expositie te houden, dacht ze. En dan was de spanning van wat ze zou moeten doen, wat haar plicht was en wat ze graag wilde, er ook niet geweest.

Toen de mannen terugkwamen, zaten ze nog gedrieën in de kamer. Ze hoorden de auto van Caspers wegrijden.

'Vraagt hij haar niet eens binnen,' verwonderde Clara zich.

Maartens blik zocht echter onmiddellijk Leandra, en hij ging naast haar zitten.

'Het was wel zo beleefd geweest als jij dat meisje had gevraagd even koffie te komen drinken.' Met die opmerking kwam Chris binnen. 'Ze rijdt al de hele dag achter ons aan.'

'Dat was niet nodig geweest als jij met je tijd meeging,' reageerde Maarten prompt. En dan: 'Het is minder ernstig met grootvader dan het eerst leek. Hij heeft moeite met zijn rechterarm. En hij zegt vreemde dingen, maar dat kan tijdelijk zijn, zegt de dokter.'

'Vreemde dingen,' herhaalde Ditte. 'Is hij plotseling gaan dementeren?'

'De dokter zegt dat hij alles heel goed weet, maar niet op de juiste woorden kan komen. Toen de zuster binnenkwam, bijvoorbeeld, noemde hij haar een paard.'

Onwillekeurig schoot Ditte in de lach. 'Wist hij het echt niet, of wilde hij vervelend doen?' vroeg ze.

'Hij weet het echt niet,' zei Chris somber. 'En hij maakt zich daar ontzettend kwaad om.'

'Maar het kan goed komen,' zei Maarten voor de tweede keer. 'Hij krijgt therapie, en wanneer hij eenmaal thuis is, moeten we met hem oefenen.'

Welja, dacht Ditte. Zou zij haar schoonvader weer moeten leren praten? Was zij daar de aangewezen persoon voor?

'Dat zie je toch niet echt voor je,' zei ze toen ze die avond naast Chris in bed stapte.

'We moeten doen wat we kunnen. En jij bent de eerste die daarvoor in aanmerking komt. We kunnen toch moeilijk een vreemde in huis nemen omdat jij voor de zoveelste keer de kamperfoelie wilt tekenen.'

Ditte verbaasde zich. Hoe was het mogelijk? Hij wist wat ze tekende.

'Het is misschien wel een prettige bijkomstigheid dat je mij nu kunt verplichten voor je vader te zorgen,' zei ze koel.

'Nee. Ik vind het niet prettig dat het leven hier jou kennelijk niet bevalt. Je bent niet gelukkig. Wij hadden nooit moeten trouwen. Maar dat is nu eenmaal gebeurd. Zou jij gelukkig zijn als je wegging en met zo'n schilder aan de zwier ging?'

'Dat is geen moment aan de orde geweest,' antwoordde ze. En zo was het ook. François begon haar nu al te irriteren. En Lars... Tja... 'Mijn schilderijtjes hangen in de expositieruimte. Ik wil ze nu niet terughalen,' zei ze.

'Als het maar bij één keer blijft. Vader is nog wel enkele weken in het ziekenhuis.' Chris gedroeg zich minder boos dan ze had gevreesd. Hij was waarschijnlijk toch aangeslagen door hetgeen er gebeurd was. Het was zijn vader. Hij werkte al zijn hele leven met hem samen. Die twee moesten toch een band hebben.

Ditte stak geen hand naar hem uit om hem tot steun te zijn, hem te troosten misschien, hoewel het wel even bij haar opkwam.

Leendert moest inderdaad enkele weken in het ziekenhuis blijven.

In die tijd had Chris af en toe losse arbeiders in dienst. Maar zelfs met twee man konden ze zijn vader niet vervangen.

'Zal ik Paul eens vragen,' stelde Clara een keer voor.

'Nee,' klonk het duidelijk van Leandra.

'Hij heeft lang vakantie. Hij zou toch wel iets kunnen doen. Hij werkt bovendien niet iedere dag op dat architectenbureau,' ging Clara onverstoorbaar door. 'Hij heeft compensatie voor studie.'

'Vraag het hem maar,' zei Chris zonder op Leandra te letten.

'Waarom moet dat nu? Je weet dat Leandra bang is voor die vent,' mopperde Maarten.

'Met dergelijke onzin kan ik me niet bezighouden. We moeten nemen wat we krijgen kunnen. En aangezien jij dat gedoe in de manege niet wilt opgeven, zul je toch wat water bij de wijn moeten doen.'

Paul verscheen inderdaad, en daarmee ook de onrust in Leandra's leven.

Ditte had Lars nog een keer ontmoet voordat haar expositie werd geopend. Ze had hem verteld van hun problemen, en spontaan had hij aangeboden: 'Zal ik deze zomer komen helpen?'

Ditte wist niet hoe ze dit zou kunnen weigeren, en daarmee was het ook met haar rust gedaan. Want zonder dat Lars zich maar enigszins opdrong, had ze toch het gevoel dat ze niet om hem heen kon. Hij was zo heel anders dan de mannen die ze kende, met zijn lachende bruine ogen en de zwierige hoed op zijn krullen. Daarbij was hij handig en vlug, en Chris was bijzonder tevreden over hem. Gek genoeg had hij, wat Lars betrof, geen enkele achterdocht. Die François had hij gewantrouwd. Maar deze man was open en vriendelijk, en er kwam geen verkeerde gedachte bij Chris op.

Het begon ook heel onschuldig: een knipoog, een toevallige streling langs Dittes arm. Maar Ditte wist dat ze verliefd werd. Het was verkeerd. Dat wist ze ook heel goed. Ze had Chris trouw beloofd in voor- en tegenspoed. In de kerk nog wel. Ze voelde dat Maarten de zaak met enig wantrouwen aanzag. Toch begreep die zijn moeder wel een beetje. Vergeleken bij de knappe vrolijke schilder was zijn vader een beetje een hark. Maar toch maakte hij zich ook kwaad. Ditte was roekeloos bezig, en er kon niets goeds van komen.

En dan was Paul Storm er ook nog. Die dook voortdurend op waar Leandra was. Het meisje werd er vreselijk onrustig van. Op een keer sprak hij Paul erop aan.

'Ik weet niet wat de reden is waarom je steeds achter Leandra aan loopt, maar je moet toch gemerkt hebben dat ze het heel vervelend vindt,' mopperde Maarten.

'Het enige wat ik wil, is haar helpen. Ze heeft in de oorlog een trauma opgelopen. Daardoor kan ze niet praten. Ik ben nu op zoek naar mensen die indertijd in dezelfde straat woonden als zij. Misschien is er nog iemand die weet wat er gebeurd is.'

'En heb je al resultaat geboekt?' vroeg Maarten, boos op zichzelf omdat hij daar nog niet op was gekomen. 'De mensen zijn niet zo toeschietelijk om over die tijd te praten. Zal ik je een paar adressen geven.'

Dat kon Maarten niet weigeren. 'Mijn vader was fout in de oorlog,' bekende Paul dan. 'Hij heeft joodse families verraden. Ik draag dat altijd met me mee. Het raakt me dat Leandra zo bang voor me is. Ik was een kind. Ik wist nergens van. Als Leandra kan vergeven, zal ze zich beter voelen. En ik ook. Ik zou namens mijn vader vergeving willen vragen aan diegenen die hij heeft verraden. Maar dat kan niet meer.'

'Dat lijkt me ook wat veel gevraagd,' zei Maarten koeltjes. 'Voor Leandra is het heel moeilijk. Bijna haar hele familie is verdwenen.'

'Ik weet het. Misschien moet ik haar ook met rust laten,' zuchtte Paul met duidelijke tegenzin.

'Wees in ieder geval voorzichtig,' antwoordde Maarten.

Aan het eind van de zomer kwam Leendert thuis. Zijn beperkingen vielen mee, zei de dokter. Leendert dacht daar zelf heel anders over. Hij had weinig kracht in zijn rechterarm en trok enigszins met zijn been. Maar het ergste vond hij dat hij niet kon zeggen wat hij wilde. Hij had een lichte mate van afasie. Regelmatig verdwaalde hij in een zin of kon hij niet op een woord komen. Leendert was twee dagen thuis toen de expositie in Rotterdam werd geopend.

'Ik moet daarbij zijn,' zei Ditte toen ze aan tafel zaten.

Chris zei eerst niets. Hij wist heus wel dat hij het haar niet kon verbieden. 'Er is dan niemand bij mijn vader,' zei hij eindelijk.

'Hij kan gelukkig redelijk voor zichzelf zorgen,' zei Ditte flink.

Dat was zeker waar, maar Leendert verveelde zich, en dat was begrijpelijk. Hij had zijn hele leven hard gewerkt op de boerderij. Misschien zou hij over enige tijd weer wat lichte werkzaamheden kunnen doen, had de arts bemoedigend gezegd. Maar er was nauwelijks licht werk te vinden op de boerderij.

'Ik kan wel bij hem zitten wanneer ik mijn huiswerk maak,' schreef Leandra tot ieders verbazing. Ze had niet bepaald een band met Leendert. Ze hadden niet door dat Leandra het gevoel had dat ze Leendert begreep omdat zijzelf ook niet kon zeggen wat ze wilde.

Ditte vertrok die middag samen met Lars.

Chris was opgelucht dat die andere vent haar niet kwam halen. 'Ik hoop dat het met deze ene keer klaar is,' kon hij toch niet nalaten te zeggen. 'Anders moet je kiezen, Ditte. Want op deze manier werkt het niet.'

Ditte zei niets. Ze wilde helemaal niet kiezen. Ze wilde hier blijven wonen en de vrijheid hebben om te schilderen. Maar dat het niet werkte, daar was ze inmiddels ook achter. Ze zat de eerste kilometers zwijgend naast Lars.

Hij keek af en toe van opzij naar haar en vroeg op een bepaald moment: 'Wat zit je zo dwars, Ditte?'

De tranen schoten haar in de ogen om zijn vriendelijke belangstelling.

'Volgens mij ben je niet gelukkig. En François met zijn expositie heeft de zaak er niet beter op gemaakt, wel?'

'Ik had er nooit aan moeten beginnen,' zuchtte ze.

'Het is maar een paar dagen. Misschien verkoop je wat aquarellen. Dat is goed voor je zelfvertrouwen. Wellicht krijg je opdrachten. Daar zou je gewoon thuis aan kunnen werken.'

'Het is allemaal niet te realiseren,' zei ze. 'Chris heeft gelijk. Ik moet kiezen. Het kan niet beide. Mijn huwelijk en het schilderen.'

'Daar moet je zeker niet van uitgaan. Het zou bijzonder onverstandig zijn deze hobby op te geven,' reageerde Lars. Hij stopte even later op een grote parkeerplaats en keek haar indringend aan. 'Wil je weg bij je man? Wil je bij mij komen wonen? Ik heb een ruime bovenwoning. Je zou kunnen schilderen. En je zou gelukkig zijn.'

Ze keek hem met grote ogen aan. 'Ik kan me niet voorstellen dat je dit serieus meent. Ik kan niet iedereen in de steek laten.'

'Misschien moet je dan een minnaar nemen.'

Toen hij haar naar zich toe trok en haar kuste, wilde en kon Ditte zich niet verzetten. Ze was al heel lang niet gekust. En zeker niet op deze overrompelende manier. Ze klemde zich aan hem vast, maar fluisterde tegelijkertijd: 'Dit mag niet. Dit is helemaal verkeerd.'

'Zo voelt het voor mij helemaal niet,' fluisterde hij in haar oor. 'Blijf vannacht bij me, Ditte.'

'Dat kan ik niet doen.'

'Maar je wilt het wel. Waarom kies je niet voor jezelf?'

Ze maakte zich van hem los. 'Dat zou erg egoïstisch zijn. Ik kan niet mijn hele familie in de steek laten.'

Hij keek haar even aan en startte toen de auto.

Ze vroeg zich af of hij nu boos was. O, het was alsof ze naar hem toe getrokken werd. Maar er was wel een heel gezin dat ze achterliet. Ze zou nooit meer een moment rust hebben.

6

In de loop van de middag ging Leandra de kamer van Leendert binnen.

Die keek haar met opgetrokken wenkbrauwen aan, maar zei niets.

Leandra begreep onmiddellijk dat hij er niet zeker van was dat de dingen die hij wilde zeggen, er op de goede manier uit zouden komen. Ze pakte haar blocnote en schreef: 'Ik kom bij u zitten.'

Hij tuurde naar de zinnen op het papier en vroeg: 'Waarom?'

'Omdat je alleen bent, en ik ook.'

Leendert maakte een snuivend geluid. Ze zag aan zijn gezicht dat hij heel graag iets wilde zeggen, maar het toch niet waagde.

'We kunnen proberen te praten,' stelde ze voor.

'Jij?' stootte hij uit.

'Ik heb een boek met platen.' Ze haalde het boek dat ze in de bibliotheek had gehaald, uit haar tas. Het stond vol afbeeldingen van dieren en voorwerpen.

'Waar?' vroeg Leendert.

Ze begreep dat hij wilde weten waar ze het boek vandaan had, en ze schreef: 'Ik heb het in de bibliotheek gehaald.'

Hij reageerde niet.

Ze wist niet of hij wist wat ze bedoelde. Daarop opende ze het boek en begon plaatjes aan te wijzen.

Leendert keek eerst zwijgend, totdat ze bij een afbeelding van een koe kwam.

'Geit,' zei hij met overtuiging.

Waarop Leandra zei: 'Nee. Een koe.'

Ze staarden elkaar vol verbazing aan.

'Laten we oefenen,' schreef ze, en ze keek hem bijna smekend aan. 'Ik wil praten, en jij ook.'

Leendert aarzelde, maar bedacht toen dat dit waarschijnlijk beter was dan alleen zitten, en schreef: 'Geheim.' Leandra knikte. Leendert wilde kennelijk niet dat ze dit aan de anderen vertelde. Prima, er kwam hier toch niemand binnen. Ze kon echter niet voorkomen dat ze in een schaterlach uitbarstte toen ze een konijn aanwees, en Leendert na enig nadenken 'theepot' zei. Hij bromde wat, maar tot haar opluchting werd hij niet kwaad. En Leandra voelde zich alsof ze een enorme overwinning had behaald. Eindelijk voelde ze zich een beetje nuttig. En dat bij degene die haar vaak wat minachtend had behandeld. Leandra was trots op zichzelf. Ze zou hier zeker mee doorgaan en niemand iets vertellen. En op een dag zou zowel Leendert als zij kunnen praten. Iedereen zou stomverbaasd zijn.

Het bleef rustig tijdens de opening van de expositie. Er waren enkele kunstenaars die Ditte al eerder had gezien. In de loop van de middag druppelden wat bezoekers binnen. Er was een meisje dat een aquarel van haar kocht om op haar kamer te hangen, en daar bleef het bij.

'Het zal morgen beter gaan. Mensen vertellen dit aan elkaar door,' beweerde François.

'Morgen ben ik hier niet weer,' zei Ditte geschrokken. Ze zaten achter in de expositieruimte koffie te drinken.

'Waar slaat dit op? Natuurlijk ben je er. Ik heb er energie in gestoken om jou hier te laten exposeren, en jij zou er niet zijn. Het spijt me, maar zonder jou gaat het niet door.' Hij bedwong met moeite zijn irritatie.

Ditte antwoordde niet.

Ze dronken zwijgend hun koffie.

Die avond verkocht ze nog een schilderijtje aan een meneer, wiens ouders vroeger op een boerderij hadden gewoond. En dat was het. Toen de deur gesloten was, liep Ditte door de ruimte. Twee lege plaatsen. Ook van de anderen was weinig verkocht.

'Er is kennelijk geen behoefte aan dit soort werk,' zei Lars.

'We hadden meer reclame moeten maken,' beweerde François.

Ditte hoorde hen in de andere ruimte praten en nam plotseling een besluit. Ze begon haar aquarellen van de muur te halen en bij elkaar te leggen. Ze was daar bijna mee klaar toen François weer binnenkwam.

'Waar ben jij mee bezig,' snauwde hij.

'Dat zie je,' antwoordde ze kalmer dan ze zich voelde 'Maar dat gaat zomaar niet.'

'Ze zijn van mij. Ik doe ermee wat ik wil,' zei ze flink.

'Lars!' schreeuwde François plotseling.

Deze kwam binnen en keek van de een naar de ander.

'Wat vind je hiervan?' François was inmiddels rood aangelopen.

Lars streek door zijn haar. 'Je kunt er weinig tegen doen, vrees ik. Wil je echt niet nog enkele dagen wachten?' wendde hij zich tot Ditte.

Ditte schudde zwijgend het hoofd.

'Ach, die prullen stellen ook eigenlijk niets voor,' zei François nu minachtend. 'Dan heb ik nu weer ruimte voor het betere werk. Ik zal maar denken: ik heb ervan geleerd. Ik ga nooit meer met een boerentrien in zee. Reken er maar niet op dat ik je thuisbreng.'

'Dat doe ik wel,' zei Lars tot haar opluchting. 'Ik blijf daar toch nog enkele weken werken.'

Beter van niet, dacht Ditte. Maar ze zei niets. Het was gelukkig nog vroeg in de avond. Het zou nog niet helemaal donker zijn wanneer ze thuiskwam.

'Denk maar niet dat je kans bij haar maakt, Lars. Ze is een braaf schepsel,' zei François minachtend.

'Ophouden, Frans,' zei de ander gemoedelijk.

Even later reed Ditte met Lars terug naar huis. Haar werk lag opgestapeld achter in de auto, heel wat minder zorgvuldig dan op de heenreis. Dit avontuur was dus afgelopen, dacht ze met zelfspot. Ditte Terschegge, die dacht dat ze een ander leven kon beginnen. Uiteindelijk paste ze nergens. Niet in de stad, en zeker niet in de kunstenaarswereld. En ook niet op de boerderij.

Lars hielp haar de spullen uitladen toen Chris eraan kwam.

Hij keek even toe en zei toen: 'Je brengt veel mee terug. Is het niet gelukt?'

'We hadden nog twee dagen, maar Ditte wilde naar huis,' zei Lars voor haar.

Toen ze de verrassing op Chris' gezicht zag, schaamde Ditte zich. Had hij haar niet meer terug verwacht?

'Ach, het is ook maar amateurwerk,' zei ze schouderophalend.

'Stadsmensen zien misschien liever andere dingen. Je zou het eens op het dorp kunnen proberen,' stelde Chris voor.

Ditte ging er niet op in. Waarschijnlijk zou men hier zeggen: 'Wat zal ik zo'n ding aan de muur hangen? Als ik uit het raam kijk, zie ik hetzelfde.'

De beide mannen hielpen haar de spullen naar haar kamer brengen.

'Het zou mooi zijn als je een paar weken kon blijven,' wendde Chris zich tot Lars.

'Deze tijd is erg druk, zoals je wel zult weten.'

'Afgesproken. Als je het goedvindt, slaap ik wel in de schuur.'

Chris wilde protesteren.

'Nee, ik vind het prima. Het lijkt me wel een aparte ervaring.'

Chris zei niets meer. Het kwam vaker voor dat arbeiders in de schuur sliepen. Er lagen daar wat stromatrassen en paardendekens, en je kon je onder de pomp wassen. Maar het verwonderde hem dat een stadsmens als Lars daar geen bezwaar tegen leek te hebben. Wat voor onderdak zou hij in de stad hebben? Misschien zwierf hij wel op straat, hoewel hij daar zeker niet naar uitzag.

Ditte was blij toen de mannen haar alleen lieten. Ze had heus niet verwacht dat ze in één klap beroemd zou zijn, maar dit was toch wel een enorme afknapper. Even later keerde ze haar kamer de rug toe. Ze had het gevoel dat het wel even zou duren voordat ze weer een penseel ter hand zou nemen.

Ze bracht Leendert koffie en vond daar tot haar verbazing Leandra bezig met haar huiswerk.

'Zit jij hier?' vroeg ze overbodig.

'Grootvader zit hier de hele tijd maar alleen,' was het geschreven antwoord.

Ditte streek het meisje door het haar. 'Lief van je. Zal ik je chocolademelk hier geven?'

Leandra knikte.

Die twee zouden geen last van elkaar hebben, nu ze alle twee zwegen, dacht Ditte. Maar dit was toch wel erg lief van Leandra. Zijzelf zou daar niet op zijn gekomen.

Ze bracht koffie naar Chris en Maarten, die nog steeds buiten bezig waren. Maarten was vandaag naar de manege geweest. Hij had dus een drukke dag. Chris zei er niets meer over. Maar hij zou toch moeten proberen iemand voor vast te krijgen. Want ook Lars was maar tijdelijk. Misschien zouden ze de hele zaak moeten omgooien zoals Maarten graag zou willen.

111

De mannen gingen nu zitten met hun rug tegen een paar strobalen.

Lars klopte op de plaats naast zich, en Ditte ging zitten. Wat een rust heerste hier. In de vallende avond hoorden ze nog een enkele vogel, maar het meeste geluid was verstomd. Ze was toch veel te jong om altijd zo'n rustig leventje te hebben, dacht ze opstandig. Misschien kon zij wel leren paardrijden en dan lesgeven, dacht ze ineens. Ze zou het daar eens met Maarten over hebben. Ze ving Lars blik op en glimlachte.

Chris zag die blik. Het werd hem koud om het hart. Was er iets tussen die twee? Had hij het helemaal verkeerd gezien toen hij meende dat François niet te vertrouwen was. Was deze jongeman degene die met Ditte flirtte en die hij in de gaten moest houden? Opnieuw keek hij hun richting uit. Ze waren twee jonge mensen, aantrekkelijk om te zien, met interesses die ver buiten zijn gezichtsveld lagen. Bij Lars vergeleken was hij een man die niet verder was gekomen dan de lagere school. Iemand die simpelweg het land bewerkte en voor zijn dieren zorgde. Hij had nooit tijd om een boek te lezen. Hij luisterde naar de mededelingen voor land- en tuinbouw op de radio en naar de weersverwachting, en daarmee had je het wel gehad. Als Ditte behoefte had aan een figuur naast zich die interesse had in het hele wereldgebeuren, iemand die kon meepraten over kunst en cultuur, was ze bij hem aan het verkeerde adres. Hij draaide zich om en liep wat verder het land op.

Ditte keek hem na en voelde opeens een brok in haar keel. Chris zag er ineens zo eenzaam uit. Met een vaag schuldgevoel stond ze op.

'Ga je nog schilderen?' vroeg Lars.

Ze schudde haar hoofd. 'Nu even niet. Het is trouwens al laat.'

Bij het huis kwam ze Clara tegen.

'Het blijft warm,' pufte die.

'Misschien moeten we maar de hele nacht opblijven.'

'Ik heb die Paul Storm weer ontmoet. Hij vroeg natuurlijk naar Leandra.'

'Hij moet haar met rust laten,' zei Ditte kortaf.

'Dat heb ik hem ook gezegd. Hij beweerde dat ze evenzeer een oorlogsslachtoffer is als hij. Waar is Leandra trouwens? Ze is niet op haar kamer.'

'Bij grootvader.'

'Wat doet ze daar?' zei Clara verbaasd.

'Ze houdt hem gezelschap.'

'Hij kan niet zeggen of hij dat leuk vindt,' grinnikte Clara.

'Ik kreeg de indruk van wel,' antwoordde Ditte. Ze liep naar binnen, en haar dochter volgde. Ditte voelde zich een beetje verloren en ze wist niet hoe ze dit moest veranderen.

Maarten was die dag maar een paar uur op de manege geweest. Daarna was hij naar de bank gegaan om over een lening te praten. Het zou niet te veel moeite kosten als zijn vader wilde meewerken. Grootvader en hij hadden flink wat kapitaal van zichzelf, maar ze moesten wel toestemming geven. Er zou een nieuwe stal moeten worden gebouwd. Een groot terrein zou moeten worden vrijgemaakt voor de rijlessen. Zodra hij zijn rijbewijs had, wilde hij een auto aanschaffen. Daarvoor had hij zijn vader niet nodig. Het moest gezegd: die had hem altijd royaal betaald voor zijn werk. Hij hoopte nu maar dat Chris zou inzien dat er toekomst zat in een manege. Wanneer Leandra klaar was met haar studie, hadden ze een dierenarts dichtbij. Ach ja, Leandra...

Maarten besloot die dag zijn zoektocht te beginnen aan de hand van het adres dat Paul hem gegeven had. En het werd een echte zoektocht. Hij nam tot twee keer toe een verkeerde tram. Uiteindelijk stapte hij uit bij een halte die in de buurt moest zijn en liep daarna zeker een halfuur voordat hij de desbetreffende straat gevonden had. Een smalle straat met hoge huizen. Hij belde aan, maar er bleek niemand thuis. Enigszins ontmoedigd ging hij op de rand van de stoep zitten. Hij zou wachten totdat er iemand thuiskwam. Zolang zou dat niet duren. Het was rustig in de straat. Ondanks het zonnige weer was het er somber. Het was al laat in de middag, maar er leek nauwelijks zon te kunnen doordringen. Als je hier toch je hele leven moest wonen. Hij dacht aan thuis, aan de ruimte rondom de boerderij. Hij was zeker geen mens voor de stad. En Leandra ook niet. Wanneer hij aan haar dacht, verscheen er zonder dat hij het wist, een glimlach op zijn gezicht.

Toen er plotseling een paar zwarte schoenen in zijn blikveld bleven staan, stond hij haastig op.

'Zoek je iets?' vroeg de man niet al te vriendelijk.

'Ik zoek de familie Barends.'

'Ik ben Barends. Wat wil je van me?'

'Het is een lang verhaal,' aarzelde Maarten.

De man nam hem onderzoekend op. 'Ik wil niets kopen.'

'Ik wil niets verkopen. Het gaat over iets wat in de oorlog gebeurd is.'

De man fronste. 'Willen we die tijd niet het liefst vergeten?'

'Ja. Maar sommigen kunnen niet vergeten. Herinnert u zich een zekere Leandra Rosenthal?'

De man keek opzij toen er met haastige passen een vrouw naderde. 'Mijn vrouw. Kom maar even binnen.'

De vrouw keek haar man vragend aan.

'Het is wel goed,' zei deze, waarop ze gedrieën een smalle trap beklommen.

Boven was de kamer ruimer dan Maarten had gedacht. Eenvoudig en netjes. Er kwam ook hier weinig daglicht binnen. In de winter zal hier de hele dag een lamp moeten branden, dacht Maarten.

'Hij wil over de oorlog praten,' zei de man terwijl hij een gebaar maakte naar Maarten om te gaan zitten.

'Willen we dat allemaal niet het liefst achter ons laten?' herhaalde de vrouw de woorden van haar man.

'Ja. Maar soms gaat dat niet,' zei Maarten voor de tweede keer. 'Het gaat over Leandra.'

'Leandra?' herhaalde de vrouw. 'Zou ik die moeten kennen?'

'U hebt waarschijnlijk haar leven gered.'

'We hebben in de oorlog een aantal kinderen een onderduikadres bezorgd. Weet je zeker dat ze Leandra heet?'

'Wacht even,' zei de man nu. 'We hadden een Eva Leandra Rosenthal, weet je nog.'

De vrouw ging haastig zitten. 'Eva en haar broer Jozef. Ach, die kinderen. We noemden haar bij haar tweede naam. Dat was veiliger.'

'Ze woont nu bij ons,' zei Maarten.

'We hebben haar naar een boerderij gebracht. We hebben haar afgeleverd en zijn meteen daarna vertrokken. Het adres hadden we van een dominee gekregen. We reden mee met een vrachtwagen met strobalen. Ik weet nog dat we bang waren. Je kon immers zomaar worden aangehouden. Maar Leandra gaf geen kik. Hoe is het met haar?'

'Ze praat niet,' zei Maarten met een zucht.

'Ach nee. Nog steeds niet?'

'Daarom ben ik hier. Er is verder niets mis met haar. Maar de communicatie verloopt uiterst moeizaam. Misschien weet u wat de oorzaak kan zijn en hoe we haar kunnen helpen.'

De vrouw was op een stoel gaan zitten en staarde verslagen voor zich uit. 'Ik vrees dat het mijn schuld is,' zuchtte ze.

'Toe nou, Edna, je kon toch niet anders. Het was een samenloop van omstandigheden waar niemand iets aan kon doen,' zei haar man.

'Ik zet even koffie.' De vrouw stond op en verdween in de keuken. Het was duidelijk dat zij nog even niet wilde praten over wat er gebeurd was. En hoewel Maarten gespannen was, wilde hij haar niet onder druk zetten.

'Hoe oud is Leandra nu?' vroeg de vrouw toen ze terugkwam.

'Ze is nu bijna twintig, twee jaar jonger dan ik. Het is een heel mooi meisje.' Dat laatste klonk vol overtuiging.

De vrouw keek hem doordringend aan. 'Je mag haar graag?' veronderstelde ze.

'Het gaat wel iets worden tussen ons,' zei Maarten openhartig. 'En of ze nu kan praten of niet, dat verandert niets aan mijn gevoelens.'

'Ik ben erg blij te horen dat ze zo goed terechtgekomen is,' zei meneer Barends nu.

De vrouw nam een slokje van haar koffie en leek dan een besluit te nemen. 'Eva en Jozef zijn hier gebracht nadat hun ouders waren weggevoerd. Dat was in 1944. Eva was toen zeven, en haar broer vier jaar ouder. Hij heeft gezien of in ieder geval begrepen dat zijn ouders zijn mishandeld en meegenomen. Het meisje begreep er nog niet alles van. Althans, dat hoopten wij. Jozef was alles voor haar. Hij was vader en moeder tegelijk. Maar Jozef haatte de Duitsers zo erg dat ik soms mijn hart vasthield. En op een keer ging het dus fout. Jozef was buiten aan het spelen toen er enkele bezetters passeerden. Je herinnert je dat misschien wel. Grote petten, krakende laarzen en harde stemmen. Ik zag Jozef

116

naar hen staren en trok Leandra opzij voordat ze haar hadden opgemerkt. Jozef mompelde een scheldwoord, en ze hoorden dat. 'Wat zei je daar?' En Jozef, met fonkelende ogen, schreeuwde: 'Vuile rotmoffen.' Ze grepen hem onmiddellijk vast, en één van hen zei: 'Volgens mij ben jij een jodenjong.' 'En wat dan nog? Ik ben er trots op,' schreeuwde de jongen. Waarop de man hem een klap gaf waardoor hij op straat viel. De ander sleurde hem aan één arm mee. Daarop begon Eva te gillen: 'Jozef, niet meegaan. Hier blijven.' Ik kon niet anders doen dan mijn hand op haar mond leggen. Ja, ik heb geknepen. Ik was doodsbang dat ze haar ook zouden meenemen. En ons erbij.' Ze slaakte een treurige zucht en ging even later verder. 'Hij had moeten zwijgen. Als hij zijn mond had gehouden, was er niets gebeurd. Dat zei ik toen ze met hem weg waren. Ik hield Eva goed vast en ik zei tegen haar: 'Je moet nooit iets tegen die lui zeggen. Beloof je dat?' Het meisje knikte en zei niets meer. Ze bleef zwijgen en zei nog steeds geen woord toen we haar enkele weken later wegbrachten.' De vrouw slaakte opnieuw een zucht. 'Ik had gehoopt en verwacht dat ze nu wel zou praten. Ik heb haar te hardhandig aangepakt.'

'Het is uw schuld niet,' zei Maarten zacht. 'Ieder ander had op dezelfde manier gehandeld. U was in levensgevaar, en zij ook. Is er ooit nog iets van Jozef gehoord?'

'Niet dat ik weet. Men zegt dat er soms nog mensen worden opgespoord of uit zichzelf terugkomen. Maar ik verwacht dat niet meer. Hij zou nu een volwassen man zijn. Als hij ooit terug zou komen, is er maar één adres waar hij heen kan. Dat zou hier bij ons zijn. Maar ik ga er niet van uit dat er nog hoop is. We zijn inmiddels tien jaar verder.'

'Misschien moeten we toch een oproep plaatsen,' zei Maarten. 'We zouden toch iedere mogelijkheid moeten aangrijpen. Er zijn mensen soms jaren vermist.'

'Je kunt het altijd proberen,' zei de man schouderophalend. Hij verwachtte er duidelijk niets van. 'Denk je dat het meisje ons zou willen zien?' vroeg hij dan.
'Jullie hebben haar leven gered,' zei Maarten eenvoudig.
'Maar als ze ons ziet, komt alles misschien weer boven,' aarzelde de vrouw.
'Waarschijnlijk. Maar misschien is dat juist goed. Ze moet er over praten of eventueel schrijven. Er zit nu een blokkade. Zullen we maar meteen een afspraak maken?'
'Ik kan de auto van mijn broer wel lenen,' zei de man nu.
Maarten maakte een afspraak voor over twee weken. Hij wilde tijd hebben om Leandra een beetje voor te bereiden.

Maarten had veel om over na te denken toen hij eindelijk terugging naar huis, het eerste stuk met de trein en dan met de bus. Bij de bushalte op het dorp stond zijn fiets. De bus kwam nu eenmaal niet bij de meest afgelegen boerderijen. En daarom moest er een auto komen, dacht hij voor de zoveelste keer. Dit was allemaal veel te omslachtig. Hij wist dat zijn vader er al over nadacht sinds Leendert in het ziekenhuis terechtgekomen was. Maar Chris dacht altijd zo lang over alles na. Toen Maarten hem dat kort geleden had verweten, had Chris meteen toegegeven dat hij gelijk had.
'Ik ben er door schade en schande achter gekomen dat snelle beslissingen soms verkeerd uitpakken,' had hij gezegd.
Maarten had niet gevraagd of hij soms een voorbeeld bij de hand had. Intuïtief had hij geweten dat zijn vader doelde op zijn snelle huwelijk met Ditte. Maarten wist dat zijn ouders min of meer langs elkaar heen leefden. Zeker sinds Ditte zich in die kunstenaarswereld had begeven, waren er problemen ontstaan. Hij had heus wel gemerkt dat Ditte het bijzonder goed kon vinden met die Lars. En Chris had ook

ogen in zijn hoofd. Ditte gedroeg zich of er niets aan de hand was. Misschien zocht ze alleen maar wat afleiding nu het met die expositie wat was tegengevallen. Maar ze speelde wel met vuur. Maarten had heus wel gezien dat Lars gecharmeerd was van Ditte. Ze was natuurlijk ook een knappe vrouw, dacht hij. Misschien zag zijn vader dat niet meer.

Dan gingen zijn gedachten naar Leandra en naar alles wat hij had gehoord. Hij zou een en ander heel voorzichtig moeten aanpakken. Toen Leandra kind was, had men haar verboden te praten, en ze was letterlijk verstomd van schrik. De laatste tijd kwam er soms ineens een woord uit. Maar wat zou er gebeuren als ze die mensen terugzag? Zou ze hen onmiddellijk in verband brengen met het feit dat ze moest zwijgen? Zou ze onbewust denken: praten is gevaarlijk? Maarten veegde zich het zweet van het voorhoofd. Hij was verdorie geen psycholoog.

Eenmaal thuis reed hij eerst zijn fiets in de schuur. Het liefst zou hij onmiddellijk Leandra opzoeken, maar zijn vader zou verwachten dat hij kwam helpen. Hij hoorde gerucht wat verder in de schuur. In de veronderstelling dat het Chris was, liep hij erheen. Het was echter niet zijn vader. Het was Ditte, in een innige omhelzing met Lars. Ze zagen hem niet, zo gingen ze in elkaar op. Maarten stond bovendien gedeeltelijk verborgen achter wat balen stro. Maarten dacht aan zijn hardwerkende vader op het land. Hij had Lars vriendelijk gevraagd een paar weken te blijven.

Opeens werd Maarten woedend. 'Ditte, ik zou hiermee ophouden,' zei hij hard.

Ze lieten elkaar zo plotseling los dat Ditte bijna haar evenwicht verloor.

'Hoe kun je pa zo bedriegen,' zei Maarten bitter, en met grote stappen verliet hij de schuur.

Ditte leunde tegen de houten wand. Ze beefde en voelde dat ze dicht aan tranen toe was. Toen Lars zijn hand naar haar uitstrekte, week ze terug.

'Dit is helemaal verkeerd,' zei ze zacht. 'Dit heeft Chris niet verdiend.'

'Maar je houdt niet meer van je man. En mij vind je aardig,' zei Lars, die het leven tamelijk simpel zag.

'Ik weet niet of ik nog van hem houd. Maar ik heb hem wel trouw beloofd,' zei Ditte. 'In de kerk heb ik dat beloofd,' voegde ze eraan toe.

Lars zei niets. Tegen de kerk kon hij niet op. Hij wist dat de mensen in deze streek van het land hun geloof zeer serieus namen en zeker niet luchtig over deze zaken dachten. Hij was ook helemaal niet van plan serieus iets met Ditte te beginnen. Maar een pleziertje, een beetje flirten, wat stak daar voor kwaad in? 'Je moet je niet zo druk maken. Wat is nou één zoen,' zei hij lacherig.

'Het is er één te veel,' zei Ditte. Ze liep de schuur uit en liet hem staan.

Lars zuchtte maar eens. Ze was zo zwaar op de hand. Jammer van zo'n leuk vrouwtje.

Buiten de schuur kwam Ditte Chris tegen. Hij nam haar even op, zag de kleur op haar gezicht en haar losse haren. Ze zag er een beetje verwilderd uit, vond hij.

'Ik zoek Lars. Heb je hem gezien?' vroeg hij.

Ditte keek hem bijna verschrikt aan, maar zei niets en holde hem voorbij.

Chris keek haar met opgetrokken wenkbrauwen na. Ze zag er net uit als een kind dat iets verkeerds had gedaan.

Toen Lars even later ook naar buiten kwam en een beetje schaapachtig naar hem grinnikte, begon er zich bij Chris iets te roeren. Wat deden die twee samen in de schuur? Nee, hij moest geen verkeerde gedachten koesteren. Ditte zou nooit... O nee? Hoe goed kende hij haar eigenlijk? Ditte was in feite nooit in de gelegenheid om andere mannen te ontmoeten. Maar deze Lars... Hij had wel gezien hoe hij naar haar keek. Hij was er zelfs trots op geweest dat deze man uit de stad zijn vrouw kennelijk aantrekkelijk vond. Chris wreef eens over zijn voorhoofd. Hij kon hier niet blijven staan. Er was veel werk te doen.

Ze bleven die avond tot het donker doorwerken.

Maarten was blij dat hij niet met Ditte aan tafel hoefde te zitten.

Clara bracht brood en koffie en bleef zelf ook enige tijd bij hen.

'Waar is Leandra?' vroeg Maarten aan Clara.

'Je gelooft het niet, maar die zit al de halve middag bij grootvader. Lars heeft een gemakkelijke stoel buiten gezet en grootvader geholpen buiten te komen. Leendert wilde alleen achter het huis zitten. Hij wilde niet zien hoe hard jullie werken.'

'Daar kan ik me iets bij voorstellen,' zei Chris.

'Nou, ik snap Leandra niet. Ze wil hem leren praten, terwijl ze dat zelf niet eens kan.'

'Misschien helpen ze elkaar,' zei Chris.

'Ik vind het raar,' zei Clara, die niet zo goed kon hebben dat Leandra blijkbaar ineens zo goed met Leendert kon omgaan. Niemand kon ooit met haar grootvader overweg.

'Ik heb Paul Storm weer gezien,' zei ze dan.

'Hij is vast verliefd op je,' plaagde Maarten.

'O nee, hij heeft heel andere dingen aan zijn hoofd. Hij heeft het voortdurend over Leandra.'

'Hij moet ons met rust laten,' bromde Chris.

Maarten zei niets. Hij was intussen overtuigd van Pauls goede bedoelingen. Hij wilde Leandra echt helpen en daardoor zelf ook rust krijgen. Hij wilde iets goedmaken van hetgeen zijn vader had misdaan. Maarten zei daar echter niets over. Het was Pauls geheim. Of hij ooit van het verleden van zijn vader kon loskomen, betwijfelde Maarten. Er was altijd wel iemand die ervan wist.

Die avond vroeg hij aan Leandra of ze even met hem mee naar buiten ging. Het was een mooie avond, en door het heldere weer bleef het lang licht. Ze hadden gewerkt totdat het ging schemeren. Dat was niets bijzonders in augustus. Maarten voelde nu toch zijn spieren, temeer omdat hij ook nog een flink eind had gefietst. En zijn zoektocht in Rotterdam had hem op een andere manier vermoeid. Terwijl ze langs het smalle pad liepen dat zich langs het gedeeltelijk gemaaide korenveld slingerde, greep hij Leandra bij de hand.

'Ik moet je iets vertellen,' zei hij zacht. Hij voelde haar hand in de zijne verstrakken.

Allerlei gedachten gingen door Leandra's hoofd: hij gaat me vertellen dat hij toch wel iets voelt voor Nelia. En hij wil niet dat ik me iets in mijn hoofd haal. Hij wil niet dat ik denk dat hij iets voor mij voelt. Dat wij ooit samen zullen zijn, is alleen een droom van mijzelf. Ze hield haar ogen neergeslagen en wachtte af.

'Ik heb vanmiddag een familie Barends ontmoet,' begon hij. 'Ze wonen in Rotterdam en ze weten wie jij bent. In de oorlog heb je bij hen gewoond. Weet je dat nog?'

Er kwam geen antwoord. 'Samen met je broer Jozef,' waagde hij.

Ze bleef met een ruk staan en schudde heftig het hoofd.

'Leandra, je kunt de gebeurtenissen uit de oorlog niet blijven ontkennen. Als jij je gedachten daarover toelaat, kun je misschien weer praten.'

122

Psychologie van de koude grond, spotte hij met zichzelf. Hij hield haar staande en draaide haar naar zich toe. 'Leandra, probeer het voor mij. Ik wil heel graag met jou verder, ook als je blijft zwijgen. Maar als we samen konden praten, zou dat ons leven zo veel completer maken. De mensen die ik heb ontmoet, willen je heel graag zien. Ze komen een keer op bezoek. Vind je dat goed?' Maarten dacht bij zichzelf dat hij het toch zou laten doorgaan, of ze het goed vond of niet. Sommige zaken moest je forceren.

Leandra zei niets, maar ze schudde in ieder geval niet met haar hoofd.

Langzaam liepen ze verder, en Maarten legde zijn arm om haar schouder. 'Die mevrouw Barends voelt zich erg schuldig. Ze denkt dat het door haar komt dat je niet praat. En door dat wat er met je broer gebeurd is,' vertelde hij. Hij keek opzij en zag een traan langs haar wang glijden. Zachtjes streek hij die weg. 'Het komt allemaal wel goed,' zei hij zacht.

7

Ditte vond het moeilijk Chris die avond onder ogen te komen. Lars at ook aan tafel en maakte zoals altijd grapjes. Het was duidelijk dat hij zich in ieder geval niet schuldig voelde. Chris was zwijgzaam. Hij weet het vast, dacht Ditte. Ze kon echter niet geloven dat Maarten hem had ingelicht. Maar zij was uit de schuur komen rennen, en even later was Lars ook naar buiten gekomen. Chris was niet gek. Hij kon een en ander combineren. En was het dat alles waard geweest? Chris zou haar nu nooit meer vertrouwen. En dat om wat geflirt en een enkele zoen.

'Ik weet niet of ik hier nog veel langer blijf,' zei Lars opeens.

Chris keek hem aan. 'Er is werk genoeg,' zei hij kortaf.

Lars knikte. 'Dat weet ik. Het werk is hier nooit klaar. Maar ik heb het wel gezien.'

'Je bent vrij om te gaan,' was het antwoord.

Ditte wist dat hij Lars hard nodig had. Ze begreep ook dat het om haar was, dat Lars weg wilde. Hij wilde niet de oorzaak zijn van problemen.

Na het eten verdween Chris al snel weer naar buiten.

Maarten kwam later Leandra halen. Hij negeerde Ditte. Ze begreep zijn boosheid en verontwaardiging wel. Hij had haar nooit met zijn vader in zo'n houding gezien, en nu met een betrekkelijk vreemde. Lars zou hier wel niet lang meer zijn, maar wat Maarten had gezien, zou hij voorlopig niet vergeten.

Leendert had te kennen gegeven dat hij de middagmaaltijd weer met hen samen wilde gebruiken. Er zat een zekere vooruitgang in zijn praten. Leandra scheen het als haar taak te zien hem les te geven. Maar toch schreef hij een van de volgende dagen met koeien van letters op een vel papier: 'Ik verveel me stierlijk.'

Maarten, die ervan hoorde, stelde zijn grootvader voor een plan te maken voor een manege. Een tekening van de stallen en het oefenveld. Een berekening van de kosten. Maarten had er al wel veel over nagedacht, maar hij was er nog niet echt voor gaan zitten.

Hoewel Leendert zich in het begin tegen Maartens plannen had verzet, leek hij nu zijn bezwaren overboord te hebben gezet.

Maarten vroeg zich af of zijn ziekte hem misschien wat milder had gemaakt.

Toen kwam Ditte ook met een voorstel. Ze had er enkele dagen over nagedacht, maar toen ze Chris' vader weer aantrof, doelloos uit het raam starend, zei ze: 'Zou je willen schilderen?'

Leendert keek haar aan en schoot hardop in de lach.

Ditte had besloten zich niet te laten beledigen. Ze wachtte af.

Toen Leendert doorhad dat ze het serieus bedoelde, maakte hij haar duidelijk dat hij de trap niet op kon.

'Dan zal ik naar beneden moeten komen,' reageerde ze rustig.

Hij keek haar peinzend aan, trommelde met zijn vingers op de tafel en wees toen op zijn arm die niet deed wat hij wilde.

'Je rechterarm is in orde. Bovendien is het een goede oefening.'

'Goed dan,' ging hij overstag. Toen hij Dittes gezicht zag oplichten, knikte hij. Het was niet alleen liefdadigheid van haar. Hij deed zijn schoondochter er ook een plezier mee.

Op een zaterdagmorgen was het de laatste dag dat er gemaaid werd. Maarten bracht koffie naar het veld en passeerde de maaiers met hun zeisen die blikkerden in de zon. Anderen bonden de schoven bijeen, en enkele vrouwen verzamelden de losse aren. Was dit niet hetzelfde als wat Ruth deed bij Boaz in het bekende bijbelverhaal? Aren lezen achter de maaiers.

Maartens ogen gleden over het land. Het was eigenlijk een prachtig gezicht, maar al bijna verleden tijd. Chris had gezegd dat ze volgend jaar gebruik zouden maken van een combine. Caspers en hij hadden besloten er samen een aan te schaffen. Chris had kans gezien de aanschaf nog een jaar uit te stellen, maar Caspers wilde niet langer wachten. Er ging dan toch weer een mooi beeld verloren, dacht Maarten peinzend. Maar je kon nu eenmaal niet in het verleden blijven hangen. Je moest met je tijd meegaan.

Hij werd uit zijn gepeins opgeschrikt toen er een vreemde auto het erf op kwam rijden. Maarten begreep meteen wie zij waren. Hij had hen al eerder verwacht. Waarschijnlijk hadden ze er rekening mee gehouden dat Leandra op zaterdag vrij zou zijn. Maarten had Ditte ingelicht, en zij kwam ook meteen naar buiten.

De mensen begroetten hen en keken geïnteresseerd rond.

'Dit is in ieder geval een betere omgeving dan bij ons in de straat,' zei meneer Barends. 'Ik heb vaak aan haar moeten denken. Ik zie nu dat we haar niet op een beter adres hadden kunnen onderbrengen.'

'We houden allemaal veel van Leandra,' zei Ditte vriendelijk. 'Komt u binnen. Ik zal koffie zetten.'

Leendert was ook in de kamer. Anders dan vroeger vond hij het niet prettig als er bezoek kwam. Hij kan nu niet meer het hoogste woord voeren, dacht Ditte soms niet al te aardig. Overigens kon ze nu beter met hem opschieten dan vóór zijn ziekte. Ze vertelden Leendert wie de mensen waren.

Na hen even te hebben opgenomen riep hij plotseling: 'Helden uit de oorlog.'

De vrouw keek wat verlegen voor zich.

De man reageerde: 'Helden is wat overdreven. Wij waren ook bang, zoals iedereen.'

'Niet iedereen had joden in huis,' merkte Ditte op.

De vrouw zuchtte. 'Jammer dat het voor de jongen zo verkeerd is afgelopen.'

'Ik zal Leandra even roepen,' zei Maarten terwijl hij opstond. Het was mogelijk dat het meisje de auto had gezien en ertegen opzag de confrontatie aan te gaan. Hij deed de deur van haar kamer open. Ze zat op de rand van haar bed, de handen ineengeklemd.

'Kom je?' vroeg hij.

Ze schudde het hoofd.

'Leandra, ze zijn speciaal voor jou hierheen gekomen.'

Ze stond onwillig op en volgde hem naar beneden. In de kamer gaf ze de beide mensen een hand en ging naast Leendert zitten.

'Meisje toch. Wat ben je mooi geworden,' zei mevrouw Barends.

Leandra kreeg een kleur.

Maarten lachte. Dit waren geen opmerkingen die mensen hier zomaar voor iemands voeten gooiden. Maar het was natuurlijk wel leuk om te horen. Hij keek even naar Ditte. Misschien had Lars iets dergelijks ook wel tegen haar gezegd. Hij kon het zich van zijn vader nauwelijks voorstellen.

'Herinner je je nog dat je bij ons gewoond hebt?' vroeg de vrouw nu.

Leandra knikte kort.

'Ik heb er zo'n spijt van dat ik jou toen verboden heb te praten. Je weet wel, toen ze Jozef meenamen. Ik had nooit

kunnen denken dat het zo'n invloed zou hebben op je verdere leven.'

Leandra keek om zich heen alsof ze een vluchtweg zocht.
Tot Maartens verbazing legde Leendert zijn hand kalmerend op de hare.

'We gaan een advertentie in de krant laten zetten. Bij de
berichten 'opsporing verzocht',' zei meneer Barends nu.
'Niet dat we denken dat Jozef nog leeft. Maar misschien is
er wel iemand die hem heeft gekend en die weet wat er met
hem gebeurd is.'

Leandra stond nu toch op en wees naar boven.

'Ga maar,' zei Maarten. Hij kon zich wel enigszins voorstellen hoe dit haar aangreep.

'Wat jammer toch dat ze niet praat. Het is alsof ze bang
voor ons is,' zuchtte de vrouw.

'Ze is bang voor haar herinneringen,' zei Maarten.

'Zou dit nog ooit goed komen?' vroeg meneer Barends
zich hardop af.

'Misschien komt, nu ze jullie heeft ontmoet, alles terug.
Ze zal dit niet kunnen tegenhouden. Ze heeft alle gebeurtenissen nooit goed verwerkt,' meende Maarten.

De twee mensen bleven nog enige tijd. Ze vertelden over
andere joodse kinderen die ze een plaats hadden kunnen
geven. In één geval waren de ouders teruggekomen. 'Maar
dat was echt een uitzondering,' zei de man. Ze vertelden
opnieuw hoe alles was gegaan.

'Het was een bijzonder intelligente jongen. Hij was altijd
in de weer met zijn zusje. Het is geen wonder dat ze hem
niet kan vergeten. Hij was vader en moeder en vriend tegelijk. We hebben nooit bericht gehad van zijn dood. Maar
zo velen zijn naamloos ten onder gegaan. Jozef was een
felle jongen, en onderdanig was hij zeker niet. Het zou een
wonder zijn als hij het heeft overleefd.'

'Aan de andere kant zijn dergelijke mensen soms heel sterk,' zei Ditte.

'Hij was geestelijk sterk. Maar of je daar in een vernietigingskamp veel mee opschiet.' De man haalde zijn schouders op. 'Als hij het allemaal had overleefd, was hij natuurlijk allang teruggekomen.'

'Hij zou bijvoorbeeld in Israël kunnen zijn,' peinsde Maarten. 'We kunnen toch proberen iets over hem te weten te komen. Misschien is er ergens iemand die hem heeft gekend. Dan moeten we die zien te vinden.'

Later keken de bezoekers rond op de boerderij. Ook Chris kwam erbij. Het was duidelijk dat hij trots was op zijn bedrijf. Alles zag er ook goed verzorgd uit. De twee mensen hadden het vooral over de ruimte, het heerlijk buiten wonen en over hoe goed Leandra terechtgekomen was. Ze spraken af nog eens langs te komen.

'Mochten er nieuwe onthullingen zijn, dan hoort u daar natuurlijk van,' beloofde Maarten.

'Het zijn bijzondere mensen,' zei Chris toen ze vertrokken waren. 'Ze hebben hun leven gewaagd om anderen te redden. Ik weet niet of ik dat had gekund.'

'Wij hebben Leandra opgenomen. Dat was ook niet zonder risico,' herinnerde Ditte hem.

'Het was hier lang niet zo gevaarlijk als in de steden. Er waren geen razzia's.'

Dat was natuurlijk waar, maar om nu net te doen of het helemaal niets voorstelde, was ook niet terecht, vond Ditte. Maar zo was Chris. Hij hield zich liever bescheiden op de achtergrond. Wel heel anders dan François of Lars. Als Chris erachter kwam dat ze met Lars had gezoend, zou dat hem een enorme dreun geven Ze hoopte maar dat hij het nooit te weten zou komen. Ze zou het immers nooit meer zover laten komen.

Wat later ging Ditte naar Leenderts kamer. Ze had daar wat schildersbenodigdheden gebracht. Een ezel wilde hij niet. Hij had nauwelijks gereageerd, maar ze had het gevoel gekregen dat hij het hele gedoe belachelijk vond. Ze had hem een groot tekenboek gegeven waar hij eerst alleen in tekende als er niemand bij was. Het zag er allemaal wat kinderlijk uit, maar ze wachtte zich wel daar iets van te zeggen. Hij was nu bezig met het weiland waarop hij uitkeek, en ze vertelde hem het een en ander over het gebruik van de penselen en het mengen van de kleuren. Na verloop van tijd schoof hij het werk van zich af en keek er misprijzend naar. Dan legde hij er een aquarel naast van Ditte. Maar, zei Ditte, als zij haar werk naast dat van François legde, leek het ook nergens naar. Ze liet hem zien hoe ze schaduw aanbracht en deed het voor op zijn tekening, waardoor het werk onmiddellijk meer diepte kreeg.

Onverwacht kwam Clara binnen. 'Heeft opa dat gedaan?' vroeg ze verbaasd. Ze hield de tekening wat verder van zich af. 'Ik wist niet dat hij dat kon.'

'Het is niets,' zei de oudere man afwerend.

'Ik vind van wel. Mamma doet het al jaren, maar jij doet het voor het eerst.'

Leendert bromde iets, maar zag er toch heel tevreden uit.

Ditte voelde zich opgelucht. Het feit dat ze iets goeds deed met haar hobby, gaf haar zelfvertrouwen. Ze was benieuwd hoe Chris erop zou reageren. Maar toen ze zich dat hardop afvroeg, schudde zijn vader het hoofd. Hij wilde niet dat Chris ervan wist. Misschien schaamde hij zich dat hij zich met dit gepruts, zoals hij het altijd had genoemd, bezighield, terwijl Chris zo hard moest werken.

Die avond kondigde Lars aan dat hij de volgende dag zou vertrekken.

Chris knikte alleen. Hij deed geen poging om hem tot blijven over te halen.

Toen Ditte die avond buiten kwam, stond Lars aan de zijkant van het huis te roken. Ze aarzelde even, maar ging dan toch naar hem toe.

'Je gaat dus weg,' zei ze.

'De toestand is een beetje onhoudbaar geworden, vind je ook niet. Ik denk dat je man iets vermoedt.'

'Wat kan hij vermoeden? Er is niets,' zei ze.

'Dat weet ik, Ditte. Maar het zou zomaar kunnen dat hij daar anders over denkt. En ik wil geen boze boer met een hooivork achter mij aan.'

Ditte fronste. Ze wilde niet dat hij Chris belachelijk maakte.

Hij keek haar aan. 'Kom je vanavond afscheid nemen? Ik ga morgen al vroeg weg. Ik ben in de schuur.' Hij liep weg.

Ze keek hem na. Natuurlijk zou ze niet naar hem toe gaan. Ze moest hem laten gaan, hem uit haar hoofd zetten.

Tegen het eind van de avond begon Ditte zich af te vragen of ze toch niet even naar Lars toe zou gaan. Het was toch wel erg onvriendelijk hem zo te laten gaan.

Chris zat aan tafel en las de krant. Eerder op de dag kwam hij daaraan niet toe. Zijn bril zakte voortdurend naar het puntje van zijn neus, waarop hij die geduldig terugduwde.

Hij is zich van geen kwaad bewust, dacht Ditte. Waarom zou hij ook?

'Heb jij afscheid genomen van Lars,' waagde ze.

'Ik heb hem uitvoerig vaarwel gekust,' bromde Chris zonder op te kijken.

Ondanks zichzelf schoot Ditte hardop in de lach.

Chris liet zijn krant zakken en keek haar aan. 'Ik neem aan dat jij dat ook van plan was. Vraag je mij nu toestemming?'

Ditte kreeg een kleur. 'Ik wilde hem alleen even groeten,' zei ze zacht.

'Moet je doen. Kun je het alleen af of zal ik meegaan?'

Ditte zei niets meer en verliet de kamer. Deze verregaande onverschilligheid was ook niet wat ze wilde. Het leek Chris allemaal niets te kunnen schelen. Nou, ze zou op een keurige manier afscheid nemen van Lars.

Chris was echter verre van onverschillig. Hij wist alleen niet hoe hij dit moest aanpakken. Hij had er nooit aan gedacht dat Ditte verliefd zou kunnen worden. En zeker niet op de eerste de beste man die op haar pad kwam. Hij wist ook niet of ze echt verliefd was. Hij durfde het ook niet te vragen. Misschien kwam het alleen door de aandacht die Lars haar gaf, dat ze van hem gecharmeerd was geraakt. Hij moest toegeven dat hij zelf niet veel complimentjes uitdeelde. Maar ze kon toch weten dat hij van haar hield. Hij was met haar getrouwd. Hij had haar echter wel vaak met Koosje vergeleken, bedacht hij nu met enig schuldgevoel. Misschien moest hij heel anders met haar omgaan. Romantischer zijn. Hij streek eens door zijn haar. Hij kreeg het warm bij de gedachte alleen al. Hij zag Dittes verbaasde blik al voor zich. Waarom kon ze niet zo nuchter zijn als de meeste vrouwen die hij kende?

Lars zat op een strobaal vlak bij de schuurdeur en sprong overeind toen hij Ditte zag aankomen. 'Ik kon me al niet voorstellen dat ik je niet meer zou zien,' zei hij vol zelfvertrouwen.

'Ik kom alleen afscheid nemen,' zei ze terwijl ze haar hand uitstak.

Hij keek ernaar en grinnikte. 'Waarom zo koel, Ditte? Als dit een afscheid voorgoed is, mag het wel wat hartelijker, vind je niet?'

Zonder er nog woorden aan te verspillen trok hij haar tegen zich aan en kuste haar.

Ditte probeerde zich los te werken, en toen dat niet lukte, liet ze hem een moment begaan. Hij ging immers weg, en ze zou hem waarschijnlijk nooit meer zien.

'Mam, wat doe je?' Clara's stem galmde door de schuur.

Tergend langzaam liet Lars haar moeder los.

'Ditte kwam afscheid nemen,' zei hij kalm.

Clara kwam naar hen toe.

'Afscheid nemen?' herhaalde ze. 'Nou, dat was wel een innig afscheid.'

'Je bent nog te jong om dit te begrijpen,' zei Lars vriendelijk.

'Ik ben achttien,' lichtte Clara hem in. 'En ik weet wat ik zie. Mam, hoe kun je dit doen. En pappa dan?'

Ditte liep naar haar dochter toe. 'Ik kan het uitleggen,' zei ze zacht.

'Je hoeft niets uit te leggen. Het was duidelijk genoeg,' bitste Clara.

'Het was alleen maar afscheid. Hij gaat morgen weg,' zei Ditte nog eens.

'Er zijn hier nog een paar arbeiders die binnenkort weggaan. Neem je van iedereen op die manier afscheid?'

'Je vader weet ervan,' zei Ditte ten einde raad.

'Dat je met die vent staat te zoenen? Maak het een beetje. Ik wil je praatjes niet meer horen.' Clara liep voor haar uit.

Ditte probeerde niet haar dochter in te halen. Ze schaamde zich tegenover het meisje. Misschien zou Clara het aan Chris vertellen. En ze wilde haar niet vragen dat niet te doen. Ze had zelf al deze problemen over zich afgeroepen. Ze zou het zelf moeten oplossen, al wist ze niet zo gauw hoe. Met Clara praten was geen goed idee. Een vriendin van haar met een dochter even oud als Clara had eens gezegd dat de verandering van meisje tot jonge vrouw soms van de ene op de andere dag plaatsvond. Als dat gebeurde, kon je maar beter dekking zoeken. Ze had er toen om moeten lachen. Maar de laatste tijd kon ze met Clara niet redelijk praten. Soms had ze het gevoel dat Clara het plan had opgevat het iedereen zo lastig mogelijk te maken, om te beginnen haar moeder. En daar had ze nu een goede reden voor. Lieve help, hoe moest ze dit ooit goedpraten. Later bedacht ze dat ze niet eens meer naar Lars had omgekeken. Het was werkelijk een afgesloten hoofdstuk. Maar zouden ze dat geloven? Chris, Maarten en nu ook Clara...

Paul was intussen al enkele weken met zijn zoektocht bezig. Hij besteedde al zijn vrije tijd eraan. Het ging er hem niet alleen om Leandra te helpen. Hij wilde graag iets goedmaken van de fouten die zijn vader had gemaakt. In Rotterdam had zijn speurwerk niets opgeleverd. Er was trouwens niemand die hem enige kans van slagen gaf. Hij zou het dus van advertenties in kranten moeten hebben. Toen ontving hij op een dag een brief uit Antwerpen.

Geachte heer,

Voor het geval dat u denkt dat ik de persoon ben die u zoekt, moet ik u teleurstellen. Het is alleen zo, wij hebben hier in Antwerpen een wijk waar veel joden wonen. Er zijn inderdaad personen bij die enkele jaren na de oorlog pas terugkwamen. Sommigen zijn niet meer aanspreekbaar, als u begrijpt wat ik bedoel. Ik heb geen enkel idee of degene die u zoekt, in deze stad woont. Maar misschien is er iemand die hem heeft gekend. Ik was toevallig in Nederland en las uw advertentie. Hier zijn niet veel mensen die een Nederlandse krant lezen. Misschien kunt u

135

overwegen uw advertentie in een Vlaams dagblad te laten plaatsen. Ik wens u verder succes bij uw zoektocht.

Hoogachtend,

De Metselaere

Een adres stond er niet bij, maar Paul was heel blij met deze brief. Hij besloot enkele pamfletten te maken en deze op te hangen in de desbetreffende wijk. Misschien was er een kans dat er iemand reageerde.

Op een vrije zaterdag vertrok Paul naar België. Hij besloot eerst naar het politiebureau te gaan, met de vraag of hij enkele papieren mocht ophangen. Na enig heen-en-weergepraat kreeg hij toestemming. Ook de politieman maakte hem echter duidelijk dat hij er niet te veel van moest verwachten.

'Het is toch het proberen waard,' zei Paul koppig.

De wijk waar hij terechtkwam, leek niet anders dan iedere andere straat. Al gauw zag hij echter de namen op de winkels. *Sam Daniëls, lederwaren. Rachel Salomons, fournituren.* Hij kwam bij een synagoge en besloot daar zijn eerste papier op te hangen.

Bijna onmiddellijk klonk er een stem achter hem: 'Toch geen opruiende teksten, wel, jongeman?'

Paul draaide zich snel om. Een wat oudere man in het zwart met een donkere baard en een keppeltje op het hoofd keek hem vragend aan.

'Leest u maar,' noodde Paul.

De man las en knikte langzaam. 'Ach ja, we missen zo veel mensen. Het wordt steeds zeldzamer dat er iemand wordt teruggevonden. Velen van ons zijn na 1947 ook naar Israël vertrokken. Jozef Rosenthal? Ik zal eens rondvragen.

Als u morgen om deze tijd hier weer kunt zijn, weet ik wellicht iets meer. Maar ik zou er niet van uitgaan.'

Paul beloofde dat hij er zijn zou. Hij besloot in een hotel te overnachten. Misschien kwam hij ergens anders nog iets te weten.

Dat was echter niet het geval. De enkele personen met een joods uiterlijk die hij aansprak, haalden slechts hun schouders op. Paul had dan ook niet veel hoop toen hij de volgende dag weer bij de synagoge aankwam.

De man verscheen bijna meteen. 'Ik heb twee mensen gevonden die dezelfde naam dragen. Ik zal het adres geven waar ze werken. We hebben een Jozef Rosenthal die in een lederwarenzaak werkt. Hij is vijfendertig jaar.'

'Te oud,' reageerde Paul onmiddellijk.

De man knikte. 'Dacht ik al. De ander werkt bij een diamantslijperij. Hij zou het kunnen zijn. Althans, wat de leeftijd betreft. Maar heb niet te veel hoop. Misschien wil hij niet praten. U hebt een Duits accent.'

'Jammer genoeg wel,' zuchtte Paul.

'Goed. Dit is het adres. Wees dus voorzichtig. Sommige mensen slaan meteen dicht wanneer ze dit accent horen.'

Paul knikte. Hij bedankte de man uitvoerig en ging voor de zoveelste keer op zoek. Zijn auto stond aan het begin van de wijk geparkeerd. Hij had de winkel al snel gevonden en stond even voor de etalage. Een echte diamant lag op blauw fluweel in een kleine vitrine. Er lagen nog enkele sieraden, maar de steen in het midden trok alle aandacht naar zich toe. Paul ging de winkel binnen en voelde zijn hart bonzen. De oudere man die naar voren kwam, boog licht met hoofd vroeg hem wat hij wenste.

'Ik zoek Jozef Rosenthal,' zei Paul.

De man keek hem doordringend aan.

'Weet u zeker dat Jozef u wil zien.'

'Mij misschien niet. Maar hij wil vast wel iets over zijn zusje horen,' zei Paul overmoedig.

De man bleef staan waar hij stond, en drukte slechts op een knopje. Paul begreep dat niemand alleen werd gelaten met de kostbaarheden die in de vitrines waren uitgestald. Toen de jongeman met het donkere haar en de bruine ogen zijn richting uit kwam, kon Paul het trillen van zijn handen nauwelijks verbergen. Ook zijn stem klonk niet helemaal vast toen hij zei: 'Ik denk dat ik u moet hebben. Als u Jozef Rosenthal bent, hebt u een zusje dat Leandra heet.'

'Ik heb geen zusje. Mijn zusje is dood.'

De moed zonk Paul in de schoenen. 'Weet u dat zeker?' vroeg hij niettemin. 'Bent u niet die jongeman die indertijd in Rotterdam gewoond heeft. U heeft een stel bezetters uitgescholden, met het gevolg dat u werd meegenomen.'

'Ik weet niet wie u bent,' zei de jongeman nors, 'maar naar wat ik heb gehoord, is mijn zusje ook opgepakt en meegenomen. Ze was pas acht jaar. Kinderen van die leeftijd die helemaal alleen waren, redden het niet. Dat heb ik vaak genoeg gezien. '

'En u dan? Hoe oud was u helemaal?'

'Ik was twaalf. Maar ik was niet bang en gedroeg me onverschillig. Ik had niets meer te verliezen.'

'Je zusje leeft nog,' zei Paul zacht, maar met veel overtuigingskracht.

De jongeman greep zich nu vast aan de toonbank.

De oudere man was ook teruggekomen in de winkel. 'Misschien kunnen jullie beter naar achteren gaan,' stelde hij voor.

Jozef draaide zich om en liep verder de winkel in.

Na enige aarzeling volgde Paul hem.

In de ruimte die aan de winkel grensde, zo te zien de werkplaats, wees Jozef hem een stoel.

Zelf ging hij ook zitten. 'Waarom heb ik dit verhaal niet eerder gehoord. Ze moet nu negentien jaar zijn, dus volwassen,' zei Jozef.

'Leandra is ervan overtuigd dat je bent omgekomen. Zij is in de oorlog bij een familie in Zeeland gebracht en woont daar nu nog.'

'Wat bent u van haar?'

'Helemaal niets. Ik ben zelf in feite een oorlogsslachtoffer. Leandra heeft een enorme schok gehad toen ze eerst jullie ouders en toen jou weggevoerd zag worden. Ze praat niet meer sinds die noodlottige dag. Ik wil haar graag helpen.'

'Waarom wilt u dat?'

Paul aarzelde. 'Ik wil boete doen voor de fouten van mijn vader.'

'Aha. Je vader was één van hen.'

'In zekere zin. Hij heeft mensen verraden. Ik was nog een kind. Maar zo gauw mensen hierachter komen, en dat gebeurt altijd, word ik een paria. Ik zou iets willen goed maken van wat mijn vader heeft gedaan.'

Jozef keek even zwijgend voor zich uit. 'Dat is eigenlijk onbegonnen werk. Hoe goed ook bedoeld. Wanneer kan ik dat meisje zien?'

Paul begreep dat Jozef nog steeds twijfelde aan de waarheid van zijn verhaal. 'Wanneer je maar wilt. Jammer genoeg is ze bang voor mij. Waarschijnlijk vanwege mijn Duitse accent.'

'Niet vreemd overigens. Goed, ik ga met je mee.' Hij verdween in de winkel en kwam na een moment terug. 'Goed. Zullen we dan maar gaan? Het is je geraden dat je mij niet voor de gek houdt.'

'Waarom zou ik dat doen?' vroeg Paul.

'Mensen doen vaker dingen waar je niets van begrijpt,' was het antwoord.

'Wil je me vertellen hoe jij het uiteindelijk hebt overleefd?' vroeg Paul

'Dat zei ik al. Door niet bang te zijn. Door dingen gewoon te vragen. Als ik zei: 'Ik heb honger,' kreeg ik vaak iets te eten. Waarom? Ik weet het niet. Op een of andere manier hadden ze plezier in mij. Later, toen de Russen kwamen, werden we vrijgelaten. We moesten naar Duitsland, veelal lopend. Een dodenmars noemde ze het. Velen overleefden de tocht niet. Ik wel. Na enkele jaren in Duitsland kwam in hier terecht.' Hij zuchtte. 'Je zult begrijpen dat Duitsland niet echt mijn land is. Dit is de enige plaats waar ik me nog een beetje thuis voel. Hier wonen mensen die bij me horen.'

'En Israël?' vroeg Paul.

De ander haalde zijn schouders op. 'Wie weet... Ooit...'

Even later stapte hij naast Paul in de auto.

'Wil je dat ik je nu regelrecht naar de familie breng bij wie je zusje woont?' vroeg Paul.

'Dat was toch de bedoeling?' Er klonk enige achterdocht in Jozefs stem.

'Dat is zo. Maar ze is er totaal niet op voorbereid. Hoe zal ze reageren?'

'Hoe wil je haar voorbereiden? Misschien herkent ze mij niet eens.'

Paul zei niets. Jozef kon gelijk hebben. Leandra had hem als kind gekend, en hij was nu een volwassen man geworden.

'Ik kan eerst gaan en vertellen dat ik je heb gevonden,' peinsde Paul hardop. 'Maar ze is bang voor mij.'

'We zien wel hoe het loopt,' zei Jozef.

Toen ze anderhalf uur later de boerderij zagen liggen, vroeg Jozef hem te stoppen. Zijn ogen dwaalden over de omgeving. Nu alles geoogst was, lag het land er weer verlaten bij.

'Dit is wel een omgeving om tot rust te komen. Is Leandra hier gelukkig?'

'Voor zover mogelijk,' antwoordde Paul. 'Volgens mij is ze verliefd op de zoon des huizes.'

'Dat is in ieder geval positief. Dat ze van iemand kan houden. Ik kan dat niet meer.'

'Totdat je iemand tegenkomt,' glimlachte Paul.

De jongeman schudde stellig zijn hoofd.

Paul liet het erbij. Als hij het goed had, was Jozef nog maar eenentwintig. Daarbij had hij wel andere zaken aan zijn hoofd gehad. Zelf had Paul even gedacht verliefd te zijn op Clara. Maar dat gevoel was al enige tijd verdwenen. Clara was niet het type vrouw waarop hij viel. Daarbij kwam dat zij, sinds ze wist van zijn vader, ook niet meer in hem geïnteresseerd leek.En dan trok hij zich al snel terug. Zo zou het altijd wel gaan, vreesde hij.

'Vind je het goed dat ik alleen ga?' vroeg Jozef.

'Natuurlijk.'

'Kom jij dan wat later.'

Paul knikte. 'Ik zal hier een tijdje tijd wachten.'

Jozef stapte uit en begon langzaam aan de tocht naar de boerderij. Hij liep rustig langs de brede dreef met aan weerszijden struiken. Het was kwart over twaalf, Misschien zat de hele familie aan tafel. De boerderij kwam steeds dichterbij, maar hij zag geen teken van leven. Hij wilde het liefst Leandra zien voordat ze hem in het oog zou krijgen. Want in zijn hart was hij er nog steeds niet zeker van dat hij werkelijk zijn zusje ging zien. Men had zo stellig beweerd dat ze de oorlog niet had overleefd.

8

De familie zat inderdaad nog aan tafel. Chris had met de pet voor de ogen juist een kort dankgebed gezegd.

Leandra was de eerste die opstond. Ze wilde naar haar kamer gaan. Ze wierp een blik door het raam en bleef toen doodstil staan. 'Nee, nee,' fluisterde ze. 'Het is niet echt, het is...' En toen slaakte ze een kreet die Ditte en Maarten overeind deed vliegen. Ze holde de deur uit, naar buiten.

'Heeft ze nu overdag ook al nachtmerries?' vroeg Clara een beetje spottend.

Maarten wilde haar achternagaan, maar zag toen de jongeman aan komen lopen.

Leandra bleef eerst staan, maar liep hem toen tegemoet, haar handen uitgestrekt.

'Wie kan dat zijn?' fluisterde Ditte naast hem. 'Iemand die ze van school kent?'

'Kom op, mam. Dan zou ze zich niet zo aanstellen. Misschien heeft ze een vriendje zonder dat wij daar iets van weten. Tenslotte zegt ze nooit iets,' zei Clara, geïrriteerd dat alle aandacht weer eens naar Leandra ging.

Ze zagen nu dat Leandra vlak voor de jongeman stilstond en dat ze elkaar aankeken. Dan strekte de jongen ook zijn handen uit. Leandra viel min of meer tegen hem aan. Hij wiegde haar heen en weer en praatte tegen haar, maar ze konden niets verstaan.

'Moeten we hen niet binnen roepen?' vroeg Chris zich af.

'Laten we het maar aan hen overlaten of ze hierheen willen komen,' zei Maarten. Zijn blauwe ogen stonden bezorgd.

'Ik ga eens kijken. Volgens mij is het een knappe jongen,' beweerde Clara.

Ze was al opgestaan, toen Maarten haar bij de arm greep.
'Je blijft hier.'

Clara rukte zich los. 'Doe niet zo bespottelijk autoritair.'
Ze liep naar buiten, regelrecht naar de twee die elkaar nog steeds omarmden. Op enige afstand bleef ze staan, toch niet helemaal op haar gemak. Ze hoorde Leandra huilen, en de jongen vreemd genoeg een liedje zingen. Het leek wel een slaapliedje, maar de taal kwam haar volkomen vreemd voor.

'Leandra,' zei ze aarzelend.

Het meisje draaide zich om en slaakte een bevende zucht.

'Dit is Jozef,' zei ze tegen Clara.

Clara's verbazing was volkomen duidelijk. Ze had nog nooit van Jozef gehoord. Maar hij was in ieder geval een knappe vent, en ze glimlachte naar hem.

Zijn donkere ogen keken haar echter onbewogen aan.

'Wat moet je van Leandra? Zie je niet dat je haar van streek maakt?' zei ze scherp.

Leandra schudde zo heftig haar hoofd dat haar donkere krullen heen en weer zwaaiden.

'Hij is Jozef. Jozef,' zei ze, de naam nog eens herhalend alsof ze er niet genoeg van kon krijgen.

'En wie mag Jozef wel zijn? Leer jij haar praten?' vroeg Clara verbaasd aan de jongen.

'Wie weet. Ik wil graag kennis maken met je ouders.'

'Nou, kom maar mee.' Ze keek een beetje geërgerd naar Leandra die de jongeman vasthield alsof ze bang was dat hij in rook zou opgaan.

Clara ging hun nu voor.

Ze volgden beiden.

Maarten stond in de deuropening. 'Paul heeft je dus gevonden,' zei hij langzaam. 'Ik dacht niet dat het hem zou lukken. Het is een wonder, nietwaar?'

De jongen boog het hoofd. 'God doet nog steeds wonderen,' zei hij rustig.

Ze gingen naar binnen, waar Ditte en Chris bij de tafel hun komst afwachten.

'Leandra.' Ditte strekte een hand naar haar uit. Maar het meisje liet de jongen niet los.

'Is hij je vriendje?' vroeg Clara plompverloren. Ze was het geheimzinnige gedoe zat.

'O ja, ik ben altijd haar vriend geweest. Maar ik ben ook haar broer.' Zijn stem was zacht een beetje zangerig.

'Je bent haar broer? Waarom ben je dan niet eerder gekomen. Als jij degene bent die haar kan leren praten...'

'Ik weet niet of ik dat kan. Maar ook zonder te praten begrijpen wij elkaar, nietwaar, Eva?'

Ze keek zo stralend naar hem op dat Ditte de tranen in de ogen schoten.

Toen ging de deur opnieuw open, en kwam Paul binnen. Leandra's ogen werden groot van schrik. 'Nee, nee, niet Jozef. Hij is...' Haar stem sloeg over, en ze leek niets meer te kunnen uitbrengen.

Haar broer hield haar stevig vast. 'Hij is een aardige jongeman. Hij heeft mij gezocht en gevonden, Eva.'

'Heet ze nu ineens Eva?' vroeg Clara er korzelig tussendoor. 'Daar kan ik niet aan wennen.'

'Dat hoeft niet. Ik kan haar ook Leandra noemen. Zo heet ze ook.' De jongeman glimlachte naar haar, en Clara's hart sloeg een slag over.

'Nu ik haar hier heb afgeleverd, ga ik er weer vandoor,' liet Paul weten.

'Ik blijf hier ook niet,' zei Jozef. 'Ik moet morgen gewoon werken. Maar ik kom terug. Dan kunnen we praten en plannen maken, Leandra.'

'Ga niet weg. Ga niet weg, Jozef,' smeekte ze.

'Kun je haar meenemen?' stelde Chris voor. 'Heb je een huis?'

'Gaat ze hier dan voorgoed weg?' Clara klonk niet alsof ze dat heel erg zou vinden.

Haar dochter zou altijd jaloers blijven op Leandra, dacht Ditte bezorgd. Dat was vanaf het begin zo geweest. Zelf wilde ze niet dat het meisje vertrok. Ze hield van haar als van haar eigen kind.

'Ik bedoel voor een paar dagen. En als Jozef dan in het weekend terugkomt en hier blijft logeren, hebben we meer tijd. Dan kunnen we het een en ander bespreken,' zei Chris.

'Wil je mee?' vroeg Jozef.

Leandra keek Maarten vragend aan. 'Moet je doen. Dan kunnen jullie elkaar opnieuw leren kennen,' moedigde die haar aan.

'Ga maar wat spullen pakken,' zei Ditte.

Leandra verdween snel en keek bij de deur nog even om. Misschien was ze bang dat Jozef zomaar in het niets zou verdwijnen.

Jozef knikte haar geruststellend toe.

Clara bedacht opnieuw wat een knappe jongen hij was. Er werd afgesproken dat ze in het weekend samen terug zouden komen, en Clara hoopte in stilte dat ze hem dan mee zou kunnen krijgen naar het dorp.

Ze keken de drie na en zagen dat Leandra bij de auto aarzelde om in te stappen. Ze keek schichtig naar Paul en ging een eindje van hem af staan. Jozef legde een hand op haar schouder en praatte tegen haar. Even later ging ze toch achterin zitten.

'Ze blijft zich maar aanstellen. Ziet ze niet wat Paul voor haar heeft gedaan?' zei Clara geërgerd.

'Ze is echt doodsbang,' antwoordde Maarten. 'Ze heeft in haar leven heel wat meegemaakt, Clara. Waarom praat je toch altijd zo onaardig over haar. Dat doet zij over jou nooit.'

'Omdat ze weigert tegen ons te praten. Niet omdat ze het niet kan, maar omdat ze het niet wil. Dat is nu toch wel duidelijk geworden. Zo gauw haar broer verschijnt, begint ze allerlei dingen te zeggen. Ze heeft ons dus al die tijd voor de gek gehouden.'

'Dat denk ik niet,' zei Ditte. 'Ze is indertijd door de schrik haar stem kwijtgeraakt. En nu, door de schok bij het terugzien van haar broer die ze nooit meer had verwacht terug te zien, praat ze weer. Het is toch•fantastisch als dit blijvend zou zijn.'

Clara zei niets. Ze had zich al vaker afgevraagd hoe Leandra kans zag alle aandacht naar zich toe te trekken, zelfs zonder een woord te zeggen, en ook als ze er niet eens bij was. Ze had wel een interessante broer. Ze hoopte maar dat hij haar ook leuk vond. Op haar kamer stond Clara geruime tijd voor de spiegel. Blond krullend haar, blauwe ogen. Ze zou iets slanker kunnen zijn. Maar als ze merkte dat hij slank mooier vond, zou ze gaan lijnen. Waar dacht ze aan? Misschien had die Jozef wel iemand. Een keurig joods meisje. Maar als hij dat belangrijk vond, kon ze Joods worden. Ze dacht nu wel erg ver vooruit. Ze deed er in ieder geval verstandig aan wat aardiger te zijn tegen Leandra. Dat zou haar broer zeker waarderen.

'Het is toch ongelofelijk dat zo'n jongen alles heeft overleefd,' zei Ditte. En dat hij al enkele jaren in Antwerpen woont. Maar een paar uur bij ons vandaan.'

'Dus ook weer niet naast de deur,' antwoordde Chris. 'Wil jij tegen vader zeggen dat Leandra een paar dagen weg is. Ik denk dat hij vanmiddag op haar rekende.'

Toen Ditte bij haar schoonvader naar binnen ging, kwam Clara er net aan. Ze liep met haar mee en hoorde haar moeder uitleggen wat er gebeurd was. 'Wil je schilderen?' vroeg Ditte.

Hoewel Leendert niet echt talent had – wat hij maakte was een beetje kinderlijk –, leek hij er toch plezier in te hebben. Maar hij schudde zijn hoofd.

'Zal ik lezen?' vroeg Clara tot Dittes verbazing.

Leendert keek zijn kleindochter even zwijgend aan, maar schudde nogmaals zijn hoofd.

Clara draaide zich beledigd om en liep weg.

'Dat is nou niet aardig. Ze is je kleindochter,' zei Ditte zachtzinnig.

Leendert haalde zijn schouders op.

Na de krant binnen handbereik te hebben gelegd liet Ditte hem alleen.

'Ik zal nog een keer iets aanbieden,' zei Clara, die nog in de gang stond.

'Het was niet erg vriendelijk,' gaf Ditte toe, 'maar hij is nu eenmaal onberekenbaar. Dat is hij altijd al geweest, maar door zijn ziekte is het er niet beter op geworden.'

Haar goede bedoelingen werden ook nooit gewaardeerd, dacht Clara nukkig. Men verwachtte van haar gewoon niet dat ze aardig was. Dat maakte het er niet gemakkelijker op te proberen vriendelijk en behulpzaam te zijn. Als ze daar een poging toe deed, en iedereen keek haar stomverbaasd aan, had ze het wel gezien. Het paste blijkbaar niet bij haar.

Leandra, achter in de auto, keek geen enkele keer uit het raam. Haar ogen lieten Jozefs achterhoofd en profiel niet los. Steeds opnieuw liepen haar de tranen over de wangen. Het was alsof er een dam was doorgebroken, en ze niet meer kon ophouden met huilen.

Soms keek Jozef met een glimlach om, maar hij zei niets.

Een enkele keer keek Leandra met een schichtige blik

naar Paul. Ze voelde zich onrustig. Waar bracht hij hen heen? Jozef zei dat hij een aardige jongen was, maar hij had wel een vader gehad die mensen had verraden, terwijl hij had kunnen weten dat ze hun dood tegemoetgingen. Mensen zoals haar ouders. Zij waren ook door verraad opgepakt. Haar verstand zei haar dat Paul daar geen schuld aan had, maar ze kende ook gezegden als 'zo vader zo zoon' en 'de appel valt niet ver van de boom'. Ze zou nooit normaal met Paul kunnen omgaan. Ze zou altijd aan het verraad van zijn vader denken.

Toen de auto stopte voor de diamantslijperij, kwam Leandra met een schok in de werkelijkheid terug. Jozef schudde Paul uitvoerig de hand en bedankte hem voor alles wat hij had ondernomen om hem te vinden.

'Ik kom nog weleens langs, als je het goed vindt,' zei Paul. Zijn stem klonk aarzelend, alsof hij niet zeker wist of hij toestemming zou krijgen.

'Maar natuurlijk. Misschien kunnen we vrienden zijn,' zei Jozef hartelijk.

Leandra zag Pauls ogen oplichten. Hoe kon Jozef zoiets zeggen? Bevriend met iemand als hij. Ze knikte Paul vluchtig toe en liep toen naar de winkel. Daar bleef ze met haar rug naar hen toe voor de etalage staan. In de spiegeling van de ruit zag ze hen nog enkele woorden wisselen.

Jozef sloeg Paul op de schouder, waarna die instapte en de straat uit reed. Hij keek haar richting niet uit.

Jozef kwam naar haar toe en greep haar hand. 'Zo kan het niet, Eva,' zei hij zacht. 'Paul heeft alles opzijgezet om mij te vinden.'

'Dat zei je al,' antwoordde ze stug.

'Nou goed, we hebben het er nog wel over.' Jozef merkte dat Leandra meer wilde zeggen, maar moeite moest doen om haar zinnen te formuleren. Alles hoefde tenslotte niet in één dag besproken te worden. Daarbij kon hij zijn zusje niet dwingen Paul aardig te vinden. Hijzelf had geleerd dat er veel meer mogelijk was als je mensen open en vriendelijk tegemoettrad. Zelfs bij de grootste schurk had dat soms effect. En Paul was een goed mens. Hij durfde zich alleen nauwelijks bij anderen aan te sluiten. Zijn accent wekte onmiddellijk wantrouwen. Er was altijd wel iemand die wist van zijn vader. Daardoor kon Paul nooit zichzelf zijn.

'Kom,' zei Jozef, Leandra nog steeds vasthoudend. 'Ik wil je voorstellen aan mijn vriend en leermeester Abram.'

Ze liep met hem mee.

De oudere man kwam hun al tegemoet. Zijn donkere ogen namen haar aandachtig op. 'Ik neem aan dat zij je verloren gewaande zusje is, Jozef,' zei hij langzaam. 'Dat is een godswonder. We zullen vanavond in de synagoge een dankgebed zeggen.' Hij stak zijn beide handen uit, en Leandra legde de hare erin. 'Niemand hoeft er aan te twijfelen of jullie familie zijn. Ik zal mijn vrouw bellen dat ze een feestmaal klaarmaakt.'

Leandra had er moeite mee die dag alles te verwerken. De mensen die ze ontmoette en die zo duidelijk blij waren dat ze er was. Ze werd aan tafel genood, en men gaf haar de lekkerste hapjes. Ze raakten haar steeds aan, alsof ze nauwelijks konden geloven dat ze echt was.

'We eten geen varkensvlees,' zei Jozef verontschuldigend.

Natuurlijk, zij waren joden. Maar zijzelf dan? Zij was in een christelijk gezin opgegroeid. Zij hielden de sabbat niet. Voor de familie bij wie ze al die jaren had gewoond, was de zondag een rustdag. Het was alsof Leandra weer te binnen schoot wat ze als kind had geleerd. Verontrust keek ze voor zich uit. Als ze niet joods was, hoorde ze dan ook niet bij Jozef? Ze at maar heel weinig en ze zei nauwelijks een woord. Maar niemand dwong haar tot contact.

150

Na het eten nam Jozef haar mee naar zijn kamer, een paar straten verderop. Het was een klein appartement. Er was een keuken en een doucheruimte en één slaapkamer. 'Je zult bij mij op de kamer moeten slapen,' zei Jozef. 'Ik heb twee bedden. Of wil je liever alleen slapen. Dan verplaats ik één bed naar de kamer.'

Leandra schudde het hoofd. Als ze het duidelijk onder woorden kon brengen, zou ze tegen hem zeggen dat ze hem geen moment meer uit het oog wilde verliezen. Woorden en halve zinnen spookten door haar hoofd. Maar ze zag geen kans haar gedachten duidelijk te formuleren.

In de kamer hing een grote foto van hun ouders. Ze bleef er lange tijd naar kijken.

'Herinner je je hen nog?' vroeg Jozef zacht.

Ze knikte. Hoe langer ze naar hen keek, des te meer herinneringen kwamen er boven. Ineens zei ze: 'Jozef, ik ben niet zoals jij.'

Niet begrijpend keek hij haar aan.

'Niet joods,' verduidelijkte ze na een moment.

'Dat had ik ook niet verwacht. Maar je bent wel mijn zusje, Leandra. Als je joods wilt worden, kan dat. Maar het is geen verplichting. Het waren goede mensen, die jou een thuis gaven. Ik zou niet graag willen dat zij denken dat zij het niet goed hebben gedaan.' Hij zweeg een moment en maakte in de keuken wat te drinken. Even later kwam hij naast haar op de bank zitten. 'Hoe nu verder?' zei hij langzaam. 'Mijn plan was volgend jaar naar Israël te vertrekken. Er is daar veel te doen. Je hebt misschien wel van de kibboets gehoord. Ik zou je willen meenemen. Maar ik heb gezien hoe jij en die Maarten elkaar aankeken.'

'Misschien wil hij ook wel gaan,' opperde ze.

'Hij heeft een bedrijf, Leandra. En jij moet je opleiding afmaken. Een jaar is nog lang. We hebben elkaar teruggevonden. Niemand haalt ons nog uit elkaar. Vanavond wordt er gedankt in de synagoge. Wil je erbij zijn?'

Ze knikte. Jozef was haar broer, het enige familielid dat ze nog had. Ze wilde bij hem horen.

Jozef besloot op hetzelfde moment dat hij haar de vrijheid zou geven om zelf een keuze te maken. Hij had te veel gezien en meegemaakt in zijn leven om van mening te zijn dat maar één godsdienst de juiste was. Hij keek naar Leandra, die met beide handen haar beker vasthield. Hoe was het toch mogelijk dat ze hier was, dat hij zijn zusje echt terug had? Hij hoopte echt dat Paul Storm weer contact zou zoeken. Hij wilde hem nog eens uitvoerig bedanken en hem vragen hoe alles was gegaan.

'Ik hoop dat we Paul weer ontmoeten,' zei hij.

'Waarom?' vroeg ze afwerend.

'Omdat hij jou heeft gevonden en ons bij elkaar heeft gebracht. En omdat hij lijdt onder het verraad van zijn vader. Als wij hem accepteren, zal het voor hem een beetje gemakkelijker zijn. Hij heeft niets verkeerd gedaan, Leandra.'

'Iedere zoon lijkt op zijn vader,' zei ze langzaam.

'We praten er nog wel over,' zei Jozef voor de tweede keer die dag. Ook hierin kon hij zijn zusje niet dwingen. Maar hij kon zelf wel het goede voorbeeld geven.

'Dat meisje zal hier wel de langste tijd geweest zijn,' zei Chris die avond.

'Dat hoop ik niet,' reageerde Ditte meteen. 'Ze is vanaf het begin een aanwinst in ons gezin geweest.' Ze ving Clara's blik op en zag dat haar opmerking niet in goede aarde viel.

'Waarom ben je toch zo dol op haar?' vroeg haar dochter scherp.

Ditte wist dat ze nu heel voorzichtig moest zijn. 'Ik houd van jou net zo veel,' zei ze rustig.

'Maakt mij niet uit,' mokte Clara.

'Leandra is een lieve meid. Ik vind het jammer dat jij haar nooit echt hebt geaccepteerd.'

'Ze was een indringster. Ik had helemaal geen behoefte aan een zusje erbij.'

'Als het aan mij ligt, wordt ze je schoonzusje,' liet Maarten zich nu horen.

'En als ze naar Israël vertrekt?' vroeg Chris. Hij zat al de hele dag met die vraag in zijn maag.

Leendert, die afwezig voor zich uit keek, schudde nu zijn hoofd.

'Ik weet hoe fanatiek mensen kunnen zijn als ze terug willen naar hun land. Waarschijnlijk is die Jozef ook zo.'

'Als Leandra met hem mee zou gaan, zou ik, denk ik, ook vertrekken,' zei Maarten nu.

'O ja? Is de manege dan ineens niet meer belangrijk?'

'Dat land heeft enorme behoefte aan vrijwilligers. Als Leandra zou gaan, ja dan... Later zou er nog tijd genoeg zijn om hier iets op te zetten.'

Chris zei niets. Hij keek naar Ditte, die er tamelijk bezorgd uitzag.

Ditte zag net als Chris ineens allemaal veranderingen opdoemen waar ze nog helemaal niet aan toe was. Zij zou hier alleen achterblijven met Chris en haar schoonvader. Want het zou vast niet lang duren voordat Clara ook de deur uit ging. Lieve help, het leven zou nog saaier worden dan het al was.

Toen ze die avond al in bed lagen, zei Chris plotseling: 'Ik heb kunnen regelen dat jij een aantal van je schilderijen mag tentoonstellen in een van de bijgebouwen van *Landlust*.'

Ditte kwam half overeind. 'Wat zeg je?'

'Je lijkt me te jong om al doof te zijn,' antwoordde hij droog.

'Je kent *Landlust* toch wel? Daar woont die vrouw van wie ze beweren dat ze van adel is.'

'Freule Vliedberg,' zei Ditte. 'Waarom heb je...'

'Je begrijpt best waarom,' zei Chris kalm. 'Ik weet dat je niet gelukkig bent. Ik ben blijkbaar niet degene die daar iets aan kan veranderen. Aangezien die expositie in Rotterdam niet heeft gebracht waar je op hoopte, dacht ik dat je het misschien hier eens zou kunnen proberen. De freule was meteen enthousiast. Zij beleeft ook niet veel, daar in haar eentje in dat grote huis. Waarom zeg je niets?'

'Omdat jij steeds praat. Jij hebt dit zomaar achter mijn rug om geregeld?'

'Als je er niets voor voelt, kun je het altijd afzeggen. Je moet er toch heen om een afspraak te maken en om een en ander te regelen.'

Ditte ging eindelijk weer liggen. 'Het is niet te geloven,' mompelde ze.

'Wat ik graag zou willen weten, is of je deze bemoeienis als positief of juist als het tegenovergestelde ervaart.'

Ditte gaf niet meteen antwoord. 'Ik begrijp het niet,' zei ze eindelijk. 'Hoe kom je daar nou opeens bij?'

'Dat probeerde ik je net uit te leggen. Ik heb de laatste tijd veel nagedacht. Ik weet dat jij totaal geen belangstelling hebt voor het werk op de boerderij. Maar toen kwam de gedachte bij me op dat ikzelf ook totaal geen belangstelling heb getoond voor jouw bezigheden. Ik weet nauwelijks wat er in je omgaat. We zijn niet op de goede weg, Ditte. Eerlijkheidshalve moet ik toegeven dat ik vind dat jij te veel met jezelf bezig bent. Aan de andere kant ben je van het begin af aan een echte moeder geweest voor Maarten, evenals voor Leandra en Clara. Ik waardeer dat je mijn vader probeert te interesseren voor schilderen.' Hij zweeg en slaakte een zucht, niet gewend zo'n lange monoloog af te steken.

Ditte probeerde een en ander te verwerken. Nog was haar niet duidelijk wat de reden was van deze plotselinge verandering. 'Ik ben bezig je kwijt te raken,' klonk het naast haar. Ditte ging weer rechtop zitten. 'Mij kwijt raken? Dacht je dat ik iets met Lars zou beginnen?' Er ging haar een licht op.

'Volgens mij was er al iets tussen jullie. Ik weet dat hij je graag mag. En dat was wederzijds.'

'Ik vind hem aardig. Ik zou dit alles hier echter nooit in de steek hebben gelaten voor een avontuurtje, al deed de aandacht die ik van hem kreeg, me wel goed. Maar nu is Lars vertrokken, en ik zal hem waarschijnlijk nooit meer zien. Je hoeft je echt geen zorgen te maken. Maar ik waardeer het dat je zo veel moeite hebt gedaan. En ik zal de freule zeker een bezoek brengen.'

Ze ging liggen en voelde Chris' hand die de hare zocht. Hij hield die hand vast, maar deed verder geen enkele poging tot toenadering. Zou hij denken dat het nu aan haar was?

Ditte bleef heel stil liggen. Ze was daar nog niet aan toe. Naar haar gevoel waren ze heel ver uit elkaar gegroeid. Maar Chris had wel een brug geslagen. Een wankel bouwwerk weliswaar, maar het kon een begin zijn. Zou ze de naam Koosje nu nooit meer horen? Ach, misschien had zij daar wel overgevoelig op gereageerd. Toen ze met Chris trouwde, was ze echt verliefd geweest, maar ze voelde zich ook onzeker. Ze had van vrienden en familie zo vaak te horen gekregen dat zij totaal niet op een boerderij paste, dat ze het op den duur zelf was gaan geloven. Ze had zich nergens mee bemoeid, vanuit de gedachte dat ze er toch geen verstand van had. Had ze diep in haar hart ook niet een klein beetje op het werk neergekeken? Terwijl het toch een mooi beroep was, hoewel niet zo romantisch als ze in het begin had gedacht. Misschien waren ze op de goede weg, als zowel zij als Chris eens kritisch naar zichzelf ging kijken.

Vrijdagmiddag zouden Jozef en Leandra komen. Clara was al de hele dag zichzelf niet. Ze had die hele week veel aan Jozef gedacht. Ze kon er niet van slapen, en nauwelijks eten. Gelukkig was er niemand die enig vermoeden had van wat haar zo bezighield.

Daarin vergiste ze zich echter. Ditte kende haar dochter als geen ander. Ze had haar iedere keer een kleur zien krijgen zodra Jozef ter sprake kwam. Het was haar opgevallen dat Clara die vrijdagmorgen haar haren had gewassen en naar school de kleren had aangetrokken die ze anders altijd op zondag droeg. Ditte zei er niets van. Ze wilde haar dochter niet in verlegenheid brengen. Als Clara zich maar niets in haar hoofd haalde. Voor zover Ditte kon zien, hield de jongen zich totaal niet met haar dochter bezig. Hij had zo veel meegemaakt. En nu hij in wat rustiger vaarwater was gekomen, was plotseling zijn doodgewaande zusje verschenen. Clara zou daar niet bij stilstaan. Ze had haar oog op die jongen laten vallen, en voor zover Ditte haar kende, zou ze voorlopig geen stapje terug doen.

Toen Clara uit school kwam, was haar eerste vraag: 'Zijn ze er al?'

'Ik denk dat Jozef tot winkelsluiting werkt,' antwoordde Ditte. 'Hij lijkt me erg plichtsgetrouw.'

'Dit is toch een bijzondere gelegenheid,' vond Clara.

'Ik weet niet of hij er ook zo over denkt,' antwoordde Ditte voorzichtig. 'Hij heeft Leandra bij zich. Dat is voor hem het belangrijkste. Denk je ook niet?'

'Dat zal wel. Maar er lopen hier nog meer mensen rond.' Ditte antwoordde niet. Het liefst zou ze Clara waarschuwen zich niet op te dringen. Maar het meisje was achttien. Ze wilde geen lesjes meer van haar moeder krijgen, zoals ze kort geleden nog duidelijk had gemaakt.

Het was al tegen acht uur toen de auto het erf op reed.

Clara was al een paar keer gaan kijken of ze hen nog niet zag aankomen, tot Maarten er een opmerking over maakte.

'Sinds wanneer ben jij zo dol op Leandra? Heb je haar zo gemist?'

Clara wierp hem een boze blik toe, maar durfde toch niet te zeggen dat het haar niet om Leandra ging.

Terwijl Ditte Jozef en Leandra tegemoet liep, bleef Clara binnen wachten.

Maarten ging ook naar buiten. Hij zag dat Jozef om zich heen keek. De zon had zijn felheid al verloren, maar was nog niet onder. Het licht was zachter en wierp lange schaduwen. Deze septemberavond gaf soms een koel briesje. Ze waren nu duidelijk in de nazomer terechtgekomen. Maarten liep naar de auto en strekte zijn hand uit naar Leandra. Die legde de hare erin en keek met een glimlach naar hem op.

Jozef zag het even aan en zei toen: 'Maarten, wij moeten een gesprek hebben.'

Maarten knikte alleen. Hij kon het moeilijk weigeren. Maar wat als Jozef het niet goedvond dat hij met Leandra omging. Misschien was hij bang dat het allemaal te vrijblijvend was. Nou, dan zou hij hem gauw genoeg uit de droom helpen. Maar het kon ook zijn dat hij niet wilde dat het te serieus werd. Zou hij werkelijk Leandra's leven kunnen regelen?

Ze gingen nu naar binnen, waar Jozef Chris en Clara begroette.

Leendert had er de voorkeur aan gegeven in zijn eigen vertrek te blijven. Ditte maakte zich soms zorgen om hem. Want hoewel ze probeerden hem wat afleiding te bezorgen – zij met schilderen, en Leandra met haar woordspelletjes –, was Leendert vaak somber en in zichzelf gekeerd.

'Wat zijn jullie laat,' hoorde ze Clara zeggen.

'We hebben eerst bij mijn werkgever gegeten,' antwoordde Jozef vriendelijk.

'Wij eten zeker de verkeerde dingen,' meende Clara te begrijpen.

'Hij nodigde ons uit,' antwoordde Jozef tamelijk kortaf.

'Jullie willen vast wel koffie,' probeerde Ditte de situatie te redden. Haar dochter kon zo scherp zijn. Op die manier stootte ze mensen van zich af.

Later vertelde Jozef dat Paul Storm nog langs was geweest.

'Die blijft maar achter Leandra aan lopen,' reageerde Clara. 'Hij heeft haar broer gevonden, en nu is het nog niet goed.'

'Paul heeft geen familie, evenmin als wij. Dat geeft een band,' zei Jozef rustig. 'Daarbij voelt hij zich schuldig aan de misdaden van zijn vader. Er moeten mensen tegen hem zeggen dat hij er niets mee te maken heeft, dat hij vrij mag zijn.'

'En dat doe jij?' reageerde Clara enigszins sceptisch.

'Ik probeer hem te helpen.'

'Ben jij niet meer bang voor hem?' wendde Clara zich tot Leandra.

'Ik probeer dat niet te zijn,' zei deze zacht. Clara wilde iets zeggen, maar ving de waarschuwende blik van haar moeder op.

'Blijf je dit weekend?' vroeg Ditte aan Jozef.

Deze knikte. 'Ik zal regelmatig terugkomen, als u dat goedvindt.'

Clara zuchtte opgelucht.

'Leandra moet gewoon naar school. Rondom de kerstdagen heb ik een week vrij. Ik ben van plan dan naar Israël te gaan om te kijken wat de mogelijkheden daar zijn,' zei Jozef.

'Wil je daar gaan wonen?' vroeg Clara.

'Dat zal ervan afhangen of ik daar nuttig werk kan doen.'

'En Leandra?' vroeg Maarten nu.

'Leandra moet zelf een beslissing nemen. Zij wil studeren en dierenarts worden. Ik weet niet of daar mogelijkheden zijn. Voorlopig blijft ze nog hier.'

Allerlei gedachten vlogen als opgejaagde vogels door Maartens hoofd. Als Leandra naar Israël ging, zou hij haar kwijtraken. Dan vond ze daar wel een joodse jongen die heel goed bij haar paste. Door het terugvinden van haar broer was het alsof Leandra ineens in een andere wereld terechtgekomen was, een wereld waaraan hij geen deel had. Ineens voelde hij haar hand op de zijne.

'Laten we even wandelen,' gebaarde ze.

Maarten stond meteen op. Toen ze weg waren, kon Clara niet nalaten te zeggen: 'Kan ze nu praten of niet. Toen ze jou zag, leek er geen probleem te zijn.'

'Het probleem is nog lang niet opgelost,' zei Jozef vriendelijk. 'Ze praat nog in korte, eenvoudige zinnen. Toen ze mij zag, was het alsof er een dam doorbrak. Een waterval van tranen loste veel op.'

Clara keek verlegen vóór zich. Met een dergelijke openhartigheid had ze veel moeite, gesloten als ze zelf was.

De eerste tien minuten liepen Maarten en Leandra zonder

iets te zeggen. Ze hielden elkaar bij de hand, en dat was even vertrouwd als altijd. Het was nu bijna donker. Het was alsof de bomen steeds groter werden.

'Ik maak me ongerust,' zei Maarten plotseling.

'Waarover?'

'Dat jij met Jozef naar Israël vertrekt en mij hier alleen achterlaat.'

Ze gaf niet meteen antwoord, en hij durfde niet aan te dringen. Eindelijk zei ze: 'Ik ben zo blij dat Jozef er is. Ik houd van hem, maar ik voel me anders dan hij. Ik voel me niet joods. De zon is onder, en het is nu sabbat, maar het zegt mij niets.' Ze haalde diep adem, alsof ze blij was dat ze al die zinnen zonder haperen had kunnen zeggen. 'Begrijp je me?'

Maarten stond stil en trok haar dicht tegen zich aan. 'Mijn ouders zijn niet gelukkig samen,' zei hij zacht. 'Ze zijn te verschillend. Ik wil niet dat ons hetzelfde overkomt.'

'Jouw ouders vinden de weg naar elkaar wel weer,' zei ze langzaam maar met overtuiging.

Maarten zei niets. Hij vond dat nogal optimistisch gedacht. Leandra had Ditte niet gezien in de armen van Lars. En hij was niet van plan haar daarover in te lichten.

'Ik ben niet opgevoed,' begon Leandra langzaam, maar toen pakte ze toch haar opschrijfboekje. In plaats van de grote blocnote had ze dit nu altijd bij zich '...niet opgevoed met de gedachte dat Israël mijn land is,' schreef ze.

Misschien was dat wel een tekortkoming van hen geweest, dacht Maarten. Het was echter nooit in hem opgekomen dat Leandra contact zou krijgen met een joodse gemeenschap.

'Vind jij het vervelend dat Jozef gevonden is?' vroeg ze dan aarzelend.

'Nee, zeker niet. Ik was zelf immers ook naar hem op zoek. Maar ik ben bang dat hij je meeneemt.'

'Ik laat me niet meenemen. Ik hoor bij jou. Dat weet hij.'

Ze legde haar armen om zijn hals, en hij kuste haar. Dat bracht zo'n storm van gevoelens over hen heen dat ze zich aan elkaar vastklemden alsof ze bang waren te vallen.

Maarten keek in Leandra's donkere ogen en vroeg zich af of ze hier al heel lang op had gewacht, terwijl hij haar zo voorzichtig had behandeld alsof ze van porselein was en soms nog aan haar dacht als aan zijn zusje. Ze was nog jong, maar zeker geen kind meer. 'Zullen we het hun vertellen?' vroeg ze.

Hij glimlachte. 'Ze hebben het allang begrepen.'

'Ja maar...' Ze greep weer naar haar notitieboekje. 'Ze denken dat het niet serieus is. Alleen Leendert...'

'Grootvader?' zei Maarten verbaasd.

'Hij zit daar maar en ziet veel,' zei Leandra.

'En wat vindt hij ervan?'

'Hij zegt dat mijn toekomst hier ligt. Op de boerderij, en misschien in de manege.'

Leandra had de laatste maanden een beter contact gekregen met grootvader dan één van hen, bedacht Maarten. Als Leendert serieus rekening hield met een manege, was er al veel gewonnen. Grootvader zou ook een waardevolle kracht voor hem zijn geweest, als hij niet ziek was geworden. Hij had altijd graag met paarden gewerkt. Thirza was echt zijn paard. Grootvader moest nu wel erg veel missen, dacht Maarten. Was Leandra de enige die dat zag? En Ditte natuurlijk. Zij hield hem bezig met schilderen. Misschien kon hij hem eens meenemen naar de stal, peinsde Maarten. Of zou het daardoor nog moeilijker worden? Het was voor het eerst dat Maarten medelijden met zijn grootvader had. Er was zo veel wat hij had moeten opgeven. Hij kon alleen maar toekijken. Dat moest wel heel zwaar voor hem zijn.

'We kunnen hem niet helpen,' zei hij hardop.

'We moeten hem ook niet afschrijven,' reageerde Leandra. 'Hij voelt zich zo nutteloos.'

Maarten drukte haar stevig tegen zich aan. 'Je bent zo lief,' zei hij zacht. Want hoewel de communicatie met Leandra al die jaren moeizaam was verlopen, leek het erop dat ze meer begrip had voor haar medemensen dan een van de anderen. Misschien was het juist de stilte waarin ze leefde, waardoor ze meer waarnam. Er werd zo veel nutteloos gepraat. Daar had Leandra nooit tijd in gestoken. Maarten ging steeds meer inzien dat hij met Leandra een zeer bijzondere vrouw had gevonden.

9

Clara sliep slecht die nacht. Haar gedachten draaiden voortdurend om Jozef. Als ze even in slaap sukkelde, droomde ze van hem. De jongeman met zijn ondoorgrondelijke, bijna zwarte ogen en zijn dramatische verleden boeide haar enorm. Ze probeerde zich voor te stellen hoe het zou zijn als ze verkering met hem had. Al haar vriendinnen zouden jaloers zijn. Maar misschien had hij al iemand, schoot haar voor de tweede keer die dag te binnen. Ze kreeg het er warm van en ging rechtop zitten. Misschien wilde hij alleen met iemand van zijn eigen volk trouwen. Zij kon natuurlijk joods worden, maar dat telde misschien niet. Ze hoopte dat hij algauw wat langer hierheen kwam. Het duurde niet zo lang voordat het Kerstmis was. Dan wilde hij naar Israël. Misschien vond hij het wel goed dat ze meeging. Clara's fantasie sloeg op hol, en daardoor was ze klaarwakker. Daardoor hoorde ze gerucht op de overloop. Ze hoorde iemand zachtjes de trap af gaan. Ze luisterde gespannen. Het kon iedereen zijn; er was boven geen toilet. Maar stel dat het Jozef was, die ook niet kon slapen. Clara was haar bed al uit. In haar pyjama glipte ze de deur uit. Op de overloop brandde altijd een lampje. De deur die op een kiertje stond, was van de kamer waar Jozef sliep. Clara's hart bonsde in haar keel. Zou ze werkelijk naar beneden durven gaan. Misschien werd hij boos. Maar hij kon haar niet wegsturen, toch? Dit was haar eigen huis, en hij was hier gast. Ze glipte snel de trap af en stond beneden stil te luisteren. Aan het eind van de gang stond de deur naar buiten ook een eindje open. Was hij naar buiten gegaan? Midden in de nacht? Misschien ging hij wel weg, en nam hij Leandra mee. Ze aarzelde niet langer, maar duwde de deur verder open en stapte op de stoep. Even stond ze stil om haar ogen aan het donker te laten wennen. De maan verscheen af en toe van achter een wolk, en toen zag ze hem staan, roerloos op het pad, met zijn rug naar het huis en zijn ogen gericht op het nu vrijwel kale land. Waarom stond hij daar? In haar hart wist Clara dat ze hem met rust moest laten. Maar ze wilde deze kans om met hem alleen te zijn niet voorbij laten gaan. Ze maakte geen geluid op haar blote voeten, maar toch draaide hij zich met een ruk om toen ze vlak bij hem was. Clara bleef geschrokken staan.

'Ik hoorde je,' zei ze onbeholpen. 'Kun je ook niet slapen?'

Hij zei niets, maar draaide zich weer van haar af.

Misschien was hij toch boos, dacht Clara bezorgd. 'Ik dacht dat je misschien hulp nodig had,' zei ze.

'Hulp? Ik zorg al jaren voor mezelf. Ik had er behoefte aan even alleen te zijn met de natuur.'

Clara wist dat dit een duidelijke hint was dat hij geen behoefte had aan haar gezelschap. Ze ging echter niet weg. 'Je moet wel heel erg blij zijn dat je je zusje hebt teruggevonden.'

Hij draaide zich nu naar haar om.

Even dacht ze dat hij haar boos zou wegsturen.

'Ik ben erg dankbaar, maar het geeft ook wat problemen. De plannen om naar Israël te gaan waren bijna rond. Maar nu wil ik haar niet alleen laten.'

'Misschien wil ze met je mee,' aarzelde Clara.

'Dat denk ik niet. Ze houdt te veel van je broer.'

Clara gaf niet meteen antwoord. Dit had niemand ooit zo duidelijk onder woorden gebracht.

'Maarten kan hier niet weg,' zei ze stellig. 'Hij moet het bedrijf overnemen. Ik zou best met je mee willen gaan.' Het was eruit. Ze ging een paar passen bij hem vandaan, alsof ze afstand wilde nemen van die woorden.

164

'Jij? Waarom zou je. Ik ga daar niet heen voor vakantie.'

'Dat weet ik heus wel. Maar het lijkt me fijn iets nuttigs te doen.'

Bij het vage maanlicht zag ze hem even glimlachen. 'Wie weet,' zei hij alleen.

Clara's hart maakte een sprongetje. Zou hij dat menen? O, ze zou onmiddellijk ja zeggen. Het zou een heel ander leven worden. Niet meer naar school. Niet meer voortdurend geconfronteerd worden met Leandra, die bij iedereen een streepje voor had, zelfs bij haar grootvader. Met Clara had hij niet willen lezen, en zij was zijn enige kleindochter.

Jozef begon terug te lopen naar het huis. Hij keek niet om of zij wel volgde.

Clara's stemming zakte alweer. Wat had hij nu helemaal gezegd? Hij had niet meteen negatief gereageerd toen zij had gezegd wel naar Israël te willen. Hij was gewoon beleefd. Ze schrok toen ze ineens een hand op haar schouder voelde.

'Misschien moest jij ook maar naar binnen gaan,' zei hij vriendelijk.

'Ja. Natuurlijk.'

Zijn hand gleed van haar schouder, en ze liep met hem mee.

'Goed dat het morgen zondag is. Als je naar school zou moeten, is dit niet zo verstandig.'

'Ach, school. Morgen gaan we naar de kerk. Ga je dan mee?'

'Dat was niet de bedoeling,' antwoordde hij.

Domme vraag, verweet ze zichzelf. Joden gingen naar de synagoge, en wel op zaterdag, als ze goed was ingelicht.

'Leandra gaat altijd met ons mee,' meldde ze.

'Dat begrijp ik. Ik heb niet het plan haar daarvan te weerhouden,' zei hij kalm.

Clara kreeg ineens een plan. Als zij het nu kon regelen dat zij ook thuisbleef, was ze alleen met hem. Die kans zou ze niet vaak krijgen. Leendert was er natuurlijk wel, maar die luisterde naar een kerkdienst via de radio. En als niemand hem hielp, kwam hij zijn kamer niet uit. Hij moest zo'n stoel op wielen hebben, had haar vader gezegd. Maar Leendert had geweigerd. En als grootvader iets niet wilde, of juist wel, was het knap als iemand hem tot andere gedachten kon brengen. Clara vergat dat zijzelf in dat opzicht wel iets van hem weg had. Als zij iets in haar hoofd had, kreeg je het er ook met geen tien argumenten uit, had Ditte weleens gezegd. Ze had nu haar zinnen op deze jongen gezet. Maar ze wist nog niet dat Jozef veel mensenkennis bezat. Hij voelde heel goed aan dat Clara's interesse verder ging dan het feit dat hij Leandra's broer was. Hij wist op dit moment alleen niet wat hij er aan moest doen. Hij hoopte dat het vanzelf zou overgaan. Hij wilde haar niet bot afwijzen. Maar hij vond het wel vervelend. Hij wilde eigenlijk alleen maar genieten van het feit dat hij zijn zusje terug had.

Toen Clara weer in bed lag, bleef ze iedere zin die Jozef had gezegd, in gedachten herhalen. En alles wat hij had laten horen, werd steeds belangrijker. Terwijl de persoon in kwestie was gaan slapen zonder nog een gedachte aan Clara te wijden.

De volgende morgen ontbeten ze gezamenlijk, zoals de gewoonte was op zondag. Clara verscheen echter niet.

'Ga jij eens kijken waar ze blijft?' vroeg Ditte aan Leandra.

Deze stond op, hoewel ze hoopte dat ze Clara niet wakker hoefde te maken. Ze kon zo geïrriteerd reageren. Ze klopte op de deur en ging naar binnen.

Clara zat op de rand van haar bed, nog in pyjama.

'Mamma vraagt of je komt,' zei Leandra.

Clara keek haar met opgetrokken wenkbrauwen aan. 'Kun jij opeens alles zeggen wat je wilt?' vroeg ze nieuwsgierig.

'Lang niet alles. Ik heb dit een paar keer geoefend voordat ik boven was.'

'Goed. Zeg dan maar dat ik niet naar de kerk ga. Ik voel me niet lekker. Ik heb vannacht nauwelijks geslapen. Ik ga gewoon terug in bed. Zeg maar dat ik het heb geprobeerd.'

Ze kroop weer onder het dek en draaide Leandra haar rug toe.

Het meisje trok even later de deur achter zich dicht en probeerde alles wat Clara had gezegd, te herhalen. Dat ging niet echt goed. Maar ze zaten op haar te wachten. Ze kon niet eindeloos oefenen. Beneden bleef ze even staan. Ze keek van de een naar de ander. 'Is niet goed. Gaat niet,' bracht ze eindelijk uit.

'Wat is dat voor onzin,' zei Chris al half opstaand. 'We blijven niet voor ieder wissewasje thuis. Dat weet ze.'

'Laat mij maar.' Ditte stond al naast haar stoel. Het leek haar geen goed idee als Chris woedend voor Clara's bed zou staan. Het zou trouwens toch niet helpen. Boven vond ze haar dochter diep onder de dekens. Ze zei eerst niets en vroeg zich af waarom ze de zaak niet helemaal vertrouwde. 'Wat is er aan de hand, Clara?' vroeg ze dan.

Het meisje kwam half overeind. Ze zag er inderdaad nogal verhit uit. 'Misschien word ik echt ziek', antwoordde Clara. 'Ik voel me echt niet lekker. Ik hoef toch zeker niet halfziek in de kerk te zitten? Stel je voor dat ik flauwval.'

'Dat is je nog nooit overkomen. Maar goed, blijf maar in bed.' Ditte dacht eraan te zeggen dat Jozef ook thuis zou zijn, maar ze hield het vóór zich. Ze had zomaar het gevoel dat Clara dat wel wist.

Even nadat de familie was vertrokken, schoot Clara haar bed uit. Ze kleedde zich in een groene rok met stroken en een witte blouse. Ze borstelde het blonde haar totdat het soepel op haar schouders viel. Ze vroeg zich intussen af of Jozef nog in bed lag. Het was voor hem natuurlijk ook laat geworden. Ze waren samen wakker geweest. Ze glimlachte in zichzelf.

Er stond slechts één bordje op de ontbijttafel. Betekende dat dat Jozef toch was meegegaan. Ze ging zitten en staarde voor zich uit. Ze had totaal geen trek. Zou ze naar Jozefs kamer durven gaan? Hem vragen of hij wilde ontbijten? Dat was toch een gewone vraag? Ze stond al naast haar stoel en klopte even later op de deur van zijn kamer. Deze werd geopend, en hij stond volledig aangekleed voor haar.

'Ik dacht dat iedereen naar de kerk was,' zei hij verbaasd.

'Ik was moe,' zei Clara. Ze keek hem veelbetekenend aan.

'Het is ook niet verstandig midden in de nacht rond te lopen,' reageerde hij.

'Wil je ontbijten?' vroeg ze.

'Ik heb samen met de anderen gegeten.'

Hij had dus gehoord dat ze zich niet goed voelde. 'Zullen we een eind wandelen?' waagde ze.

'Ik dacht dat je ziek was.'

'Daar knap ik misschien van op.'

'Goed. Een halfuurtje dan.'

Clara besloot haar ontbijt verder te vergeten. Even later liepen ze naar de achterkant van de schuur, waar ze een weids uitzicht hadden.

Jozef ging op de houten bank zitten, en ze waagde het naast hem neer te ploffen.

Jozef leek niet van plan een gesprek te beginnen, en Clara wist niets te bedenken. Uiteindelijk hield ze het niet langer uit. 'Ben je altijd zo stil?' vroeg ze.

Hij keek haar aan. 'Er wordt in de wereld zo veel nutteloos gepraat.'

Nu durfde Clara haar mond helemaal niet meer open te doen. Alles wat ze liet horen, zou hij van geen enkel belang vinden. Ze schuifelde wat met haar voeten, stond op en ging weer zitten.

'Ben je altijd zo rusteloos?' vroeg hij.

'Ik kan niet zo roerloos zitten als jij,' antwoordde ze.

'In de oorlog heb ik geleerd mij op sommige momenten doodstil te houden. Soms was dat nodig om te overleven. Je moest ervoor zorgen niet de aandacht te treken. Inderdaad, soms zegt mijn werkgever ook: 'Jij kunt je bijna onzichtbaar maken, terwijl je er toch bent.''

'Dus jij en je zusje hebben beiden iets uit de oorlog overgehouden,' concludeerde Clara.

'Dat kan niet anders,' zei hij schouderophalend.

'Ga je echt in Israël wonen?' was haar volgende vraag.

'Dat weet ik niet. Ik kan daar nu nog geen beslissing over nemen. Het is nogal ingrijpend.'

'Gaat Leandra dan mee?'

'Dat denk ik niet. Leandra moet eerst haar studie afmaken. Misschien gaat ze later. Ze moet zelf beslissen.'

'Ik wil best mee,' waagde ze.

'Jij moet ook studeren.'

'Ach.' Ze haalde haar schouders op. 'Soms zijn andere zaken belangrijker. Er zijn veel mensen die in de kibboets werken. Die zijn niet allemaal joods. Trouwens, ik kan joods worden als dat een vereiste is.'

'Je zou dus van godsdienst veranderen alsof je een andere jas aantrekt,' zei hij kortaf.

'Als ik nu eens naar Israël zou willen.' Clara begreep dat ze zich op glad ijs bevond.

'Dan kan ik je niet tegenhouden,' zei hij terwijl hij opstond.

'Zou je willen dat ik meeging?' hield ze aan.

'Daar houd ik me helemaal niet mee bezig.' Jozef liep weg.

Clara waagde het niet hem achterna te gaan. Hij moest nu toch wel doorhebben dat ze hem graag beter wilde leren kennen. Maar het was alsof hij totaal geen belangstelling voor haar had. Dat weigerde Clara echter te accepteren.

Na een halfuurtje te hebben gewacht besloot ze koffie te gaan zetten. Straks kwam de familie uit de kerk. Ze kon maar beter een goede beurt maken. In de keuken zette ze alles klaar. Jozef zag ze niet. Misschien was hij weer op zijn kamer. Maar deze keer ging ze hem niet roepen.

Ditte kwam als eerste de keuken binnen. 'Zo, je bent dus weer opgeknapt.'

'Ik was alleen erg moe, doordat ik bijna niet had geslapen.'

Haar moeder keek haar even opmerkzaam aan, maar zei verder niets.

'Waar is Jozef?' was Leandra's eerste vraag.

'Hij leeft nog,' antwoordde Clara spottend.

Jozef, die juist binnenkwam, hoorde haar opmerking.

Clara zag zijn blik en geneerde zich.

Leandra was dergelijke scherpe opmerkingen wel van haar gewend en reageerde er niet op.

Ze ging naar Jozef toe, die haar even omhelsde en haar iets toefluisterde. Ach, het was weer zoals altijd en overal: Leandra trok alle aandacht naar zich toe, dacht Clara geërgerd.

'Ik heb liever niet dat je smoesjes verzint als je niet naar

170

de kerk wilt,' liet haar vader zich nu horen. 'Je weet heus wel dat ik je niet zal dwingen als je een keer wilt overslaan. Je bent tenslotte volwassen. Je hoeft mij dus niets op de mouw te spelden.'

'Ik dacht ook dat het vervelend was voor Jozef hier alleen te zijn,' antwoordde Clara nu. Ze had onmiddellijk spijt van haar opmerking.

Tot haar opluchting verscheen Maarten nu met zijn grootvader aan de arm. Diens blik ging onmiddellijk naar Leandra, en hij klopte op de stoel naast hem. Leendert ging aan de andere kant van het meisje zitten en knipoogde naar haar.

Die twee waren heel vertrouwd met elkaar, dacht Clara. 'Ben je nu al wat opgeschoten met de lessen van Leandra?' vroeg ze aan haar grootvader.

De oudere man keek haar wat hulpeloos aan.

'Een rechtstreekse vraag beantwoorden is moeilijk,' zei Leandra, 'maar het gaat wel steeds beter. Wij begrijpen elkaar meestal wel.'

'Natuurlijk,' zei Clara koel. Ze ving Jozefs blik op en dacht voor de zoveelste keer dat ze aardig moest zijn tegen zijn zusje. Dat kostte haar wel enige moeite, maar ze had het gevoel dat Jozef het niet zou accepteren als ze kribbig deed tegen Leandra. Iedereen deed hier toch al alsof ze van porselein was.

'Kunnen wij elkaar even spreken?' wendde Jozef zich tot Maarten.

Maarten stond meteen op.

Leandra keek hen een beetje bezorgd na.

Misschien was ze wel ongerust dat Jozef haar de omgang met Maarten zou verbieden, dacht Clara. Ze was heel nieuwsgierig wat die twee te bespreken hadden, maar ze was bang dat ze het niet te weten zou komen.

'Het zou leuk zijn als wij eens een weekend bij Jozef konden logeren,' zei ze dan.

'Wij?' vroeg haar vader.

'Maarten en ik. En Leandra natuurlijk.'

'Ik weet niet of Jozef daar gelegenheid voor heeft. Ik heb begrepen dat hij maar een eenpersoonsappartement heeft.'

Ditte begon door te krijgen dat Clara's aandacht wel erg sterk op Jozef gericht was. Hoe haalde ze het in haar hoofd? Die twee zouden absoluut niet bij elkaar passen. Clara was waarschijnlijk een beetje verliefd op Jozefs knappe uiterlijk. Ze hoopte maar dat ze zich niet zou opdringen. Clara was geen type dat snel met 'nee' genoegen nam.

'Grootvader zou graag willen paardrijden,' schreef Leandra op haar blocnote.

'Dat kan natuurlijk niet,' zei Clara onmiddellijk.

'Je moet niet meteen nee zeggen,' reageerde Leandra.

Clara keek haar aan. Ze was niet gewend aan een scherp weerwoord van Leandra. Blijkbaar kon ze gemakkelijker uit haar woorden komen wanneer ze boos was.

'We zouden hem kunnen helpen,' zei Leandra. 'Maarten had het er ook al over.'

'Hoe stel je je dat voor? Wil je hem optillen en op de paardenrug hijsen?' spotte Clara.

'Met een trapje zou het misschien gaan,' peinsde Ditte hardop. 'We weten allemaal hoe graag Leendert paardrijdt. En Thirza is een mak paard.'

'Er zijn nu eenmaal dingen die niet meer mogelijk zijn,' zei Clara met de arrogantie van iemand die geen beperkingen kent.

Ditte negeerde haar dochter. 'Ik zal er toch eens over nadenken, Leendert,' zei ze rustig.

'We moeten geen ongelukken krijgen,' zei Chris.

'Wie niet waagt wie niet wint,' zei zijn vader plotseling.

Chris knikte. 'Een waagstuk wordt het met jou in ieder geval.'

'Jullie hebben mijn zusje een thuis gegeven,' zei Jozef op dat moment tegen Maarten.

'Leandra was een aanwinst voor ons gezin,' antwoordde Maarten. 'We hebben er nooit een moment spijt van gehad.'

Jozef had inmiddels begrepen dat Clara daar anders over dacht, maar hij zei niets.

'Jij mag haar graag,' merkte Jozef op.

'En meer dan dat. Heb je daar bezwaar tegen?'

'Zeker niet. Ik wil dat Leandra gelukkig is. En ik zie dat dat zo is. Dat is meer dan ik ooit heb durven hopen. Mijn zusje terugzien in goede gezondheid, en duidelijk verliefd.' Hij keek Maarten indringend aan. 'Het lijkt misschien overbodig het nu te zeggen, maar je moet me beloven dat je haar nooit verdriet zult doen.'

'Ik wil net als jij dat ze gelukkig is,' zei Maarten eenvoudig. 'Ik zal daar alles aan doen wat mogelijk is. En nu jij terug bent, is die donkere plek uit haar verleden een stuk lichter geworden. Ik kan alleen maar zeggen dat ik van haar houd. Heb je er bezwaar tegen dat ze christelijk is opgevoed?'

'Het heeft geen zin haar nu nog alle joodse tradities bij te brengen. Ik hoop alleen dat ze er respect voor kan opbrengen.'

'Daar twijfel ik niet aan.'

De beide mannen liepen nog wat verder.

Jozef keek om zich heen. 'Ik had me geen betere plek voor Leandra kunnen wensen. Weet je dat je zus Clara mij heeft gevraagd of ze mee mocht als ik eventueel naar Israël zou gaan?'

'Ach, dat is weer een van haar bevliegingen. Clara is nogal wispelturig.'

Jozef zei niets. Hij had het vervelende gevoel dat Clara zich niet zomaar liet afschepen.

Na het weekend vatte Leandra het plan op Leendert mee te nemen naar de stal. Hoewel Leendert moeilijk liep, kwam hij met hulp van Leandra en zijn eigen wilskracht toch aardig vooruit. Leandra wist dat ze er verstandiger aan had gedaan nog iemand mee te nemen, maar de mannen waren aan het werk, Ditte was naar het dorp, en Clara was nog niet thuis uit school. En toen ze het Leendert voorzichtig had voorgesteld, was hij merkbaar opgeknapt. Hij zat niet meer zo in elkaar gezakt, en zijn ogen stonden levendiger. Ze kon naar haar gevoel nu niet meer terugkrabbelen. Leandra ontdekte echter al snel dat deze onderneming meer problemen met zich meebracht dan ze had gedacht. Toen ze eenmaal bij de stal waren, moesten ze eerst even rusten. Thirza hinnikte opgewekt en schraapte met haar hoef over de grond. Leendert streek het dier over de neus en mompelde zoiets als 'Je bent een braaf meisje.'

Maar hoe nu verder, dacht Leandra. Het enige wat ze kon bedenken, was een trap naast het paard. Het bleef een riskante onderneming, en hoewel Thirza rustig bleef staan, zei Leandra na een aantal pogingen: 'Zo gaat het niet. We moeten hulp hebben.'

Leendert zei niets, maar Leandra zag aan zijn samengeknepen mond dat hij het er niet mee eens was.

'Ik beloof je dat we het nog eens proberen,' zei ze.

Leendert bleef zwijgen, en Leandra begreep dat hij er niet meer in geloofde. Het moest ook erg moeilijk zijn zo met je eigen onmacht geconfronteerd te worden.

Toen ze weer in Leenderts kamer waren en Leandra de boeken pakte, schudde Leendert zijn hoofd.

'Je moet niet zo snel opgeven,' zei ze. 'Misschien lukt het

binnenkort wel, wanneer je nog wat sterker bent. Kijk nu eens naar mij: ik praat weer.'

Leendert begon nu te schrijven. Uit de korte, wat onbeholpen zinnen begreep ze: 'Wanneer ik dood ben, moet Maarten van mijn geld een manege beginnen.'

'Je gaat nog lang niet dood,' zei Leandra, en ze legde haar hand even op de zijne.

'Je bent een lief kind,' bracht hij met moeite uit.

Later vroeg Leandra zich bezorgd af of ze er wel goed aan had gedaan. Leendert was er bepaald niet vrolijker op geworden. Ze vertelde het aan niemand. Ze wilde Maarten zover zien te krijgen dat hij hen hielp. Maarten had het echter de komende dagen erg druk. Daarbij zag hij het nut er niet van in zijn grootvader te helpen op het paard te komen. Als het al lukte, wat dan? Leendert kon niet lang rechtop blijven zitten. En op de rug van het paard zat nu eenmaal geen leuning. Hijzelf zou er in ieder geval naast moeten rijden. Op zichzelf was dat geen punt, maar zijn grootvader kennende zou hij niet onder begeleiding van zijn kleinzoon willen paardrijden.

Het duurde enkele dagen voordat Maarten ertoe kwam naar Leendert toe te gaan en erover te praten. Het kwam erop neer dat hij zei dat er eigenlijk geen mogelijkheid was. Althans niet zolang Leendert niet sterker was.

Zijn grootvader zei al die tijd niets. Al die tijd dat Maarten praatte en argumenten aandroeg, reageerde hij niet. Maar zijn blik was somber toen hij hem aankeek. Dan richtte hij zijn blik weer op het raam. In de wei zag je de paarden lopen.

'Ik zou zo graag willen dat ik een oplossing wist,' zei Maarten nog.

'Maar er is geen oplossing,' zei hij later tegen Leandra.

Deze zuchtte. 'Er is niets wat hij liever wil.'

'Misschien kan hij niet meer redelijk denken. Hij zou toch moeten begrijpen dat het niet kan.'

Natuurlijk begreep Leendert dat. Maar de gedachte aan een rit te paard liet hem niet los. Op den duur kon hij nergens anders meer aan denken. Maar hij zei er niets meer over.

Toen Jozef het volgend weekend weer kwam, bracht hij Paul Storm mee. Zodra Leandra hen zag, keerde ze zich van hen af en liep weg.

Jozef fronste de wenkbrauwen, maar liet haar gaan. 'Ik heb Paul meegebracht omdat hij mijn vriend is,' zei hij toen hij zijn zusje later alleen zag.

'Hoe kan hij je vriend zijn? Misschien was zijn vader wel degene die onze ouders verraden heeft.'

'Wat zijn vader ook heeft gedaan, Paul heeft daar geen schuld aan. De man is trouwens gestraft. En wel zonder dat er een rechtszaak is geweest. Iemand heeft het recht in eigen hand genomen en hem vermoord. En die persoon is nooit berecht. Maar evengoed was het moord.'

Leandra haalde haar schouders op. 'Dat is toch heel iets anders. Hij was schuldig. Trouwens, jouw geloof zegt toch 'oog om oog tand om tand'?'

'Daar heb ik afstand van genomen,' zei Jozef kortaf. 'Leandra, het is verkeerd Paul te verwijten wat zijn vader heeft gedaan. Die jongen is diep ongelukkig.'

Leandra zei niets meer, maar dacht des te meer. Ondanks alles had ze ook wel medelijden met Paul. Hij had niemand. En als Jozef met hem kon omgaan, zou zij dat ook moeten kunnen.

Later zag Leandra Clara samen met de beiden mannen. Ze liepen gedrieën op het pad langs de boerderij dat eindigde op de dijk, waar de schaapherder zijn dieren hoedde.

Leandra had inmiddels door dat Clara veel belangstelling had voor Jozef. Ze had haar naar hem zien kijken. Ze dacht echter niet dat Jozef veel interesse voor haar had. Het was ook niet te hopen. Clara was al moeilijk om mee om te gaan als stiefzusje. Als ze dan ook nog eens haar schoonzusje werd... Ze moest er niet aan denken.

Wat later, toen ze op haar kamer huiswerk maakte, werd er geklopt. Ze aarzelde. Het kon Maarten zijn. Het was echter Paul, die in de deuropening stond.

Leandra opende haar mond om iets te zeggen, maar er kwam geen geluid uit. Hoe ze het ook probeerde, de woorden wilden niet komen. Uiteindelijk pakte ze haar blocnote en schreef: 'Heeft Jozef je gestuurd?'

Hij schudde zijn hoofd en vroeg: 'Komt het door mij dat je niets kunt zeggen?'

Ze schreef: 'Daar lijkt het wel op. Maar ik neem het niet.' Hoe wanhopig ze het echter ook probeerde, er kwam nog steeds geen klank uit haar mond. Ze stond op en ging voor het raam staan, met haar rug naar Paul toe. Ze was eraan gewend geraakt dat ze niet kon praten. Maar nu het de laatste tijd steeds beter leek te gaan, kon ze deze terugval niet verdragen. De tranen liepen over haar wangen.

Paul kwam naast haar staan en legde een hand op haar schouder. 'Het spijt me. Ik zal vertrekken,' zei hij zacht.

Ze keek hem aan en zag het verdriet in zijn ogen. 'Nee, blijf. Ik moet dit zelf overwinnen,' zei ze.

'Hij die zichzelf overwint, is sterker dan hij die een stad inneemt,' citeerde hij.

'Laten we naar buiten gaan,' stelde ze al schrijvend voor.

'Weet je het zeker?' vroeg hij.

Ze knikte.

Even later liepen ze het pad naar de dijk op. Leandra keek van terzijde naar hem. Hij zag er in zichzelf gekeerd uit.

Zou het waar zijn wat Jozef had verteld? Had hij totaal geen familie of vrienden? Uiteindelijk vroeg ze het hem.

Hij schudde zijn hoofd. 'Mijn moeder is kort na de oorlog overleden. Ik ben enig kind. Ik wilde toen weg uit de plaats waar ik woonde. Iedereen daar wist wat er gebeurd was. Ik werd nageroepen, en niemand wilde met mij omgaan. Ik verkocht het huis van mijn ouders en ging in Rotterdam wonen en studeren. Na mijn studie kreeg ik een baan op het architectenbureau. Het werk beviel me prima. Ik had aardige collega's, en ik hoopte dat ik het verleden eindelijk achter mij kon laten. Totdat iemand erachter kwam wat mijn vader had gedaan. De sfeer veranderde. Ik zocht dus ander werk en kwam in Zeeland terecht. Daar heb ik meteen verteld hoe de zaken ervoor stonden. De directie daar was redelijk. Men zei: 'Het gaat ons om het werk dat je aflevert.' Maar men zei ook: 'Praat er verder maar liever niet over.' Dus moest ik opnieuw zwijgen. Het is nu eenmaal zo: in een gesprek wordt soms naar je familie gevraagd, of naar je ouders. Ik besloot niet meer te liegen, en ik moet zeggen, men reageerde minder vijandig dan ik gewend was. Er was wat meer begrip. Iemand zei zelfs: 'Wat moet dat vervelend voor je zijn.' Het ging dus wat beter, en toen ontmoette ik Clara. Zij was een beetje verliefd op mij, en ik zag haar ook graag. De rest weet je wel zo'n beetje. Ik ontmoette Ditte, en door mij maakte ze kennis met François. Je vader was daar niet blij mee. Ik dacht: straks ben ik ook nog schuldig aan het stuklopen van dit huwelijk. En toen ontmoette ik jou. Je was zo bang voor me. Alles begon opnieuw. Ik wilde je graag helpen. Daarom ben ik op zoek gegaan naar je broer. Ik weet wat een nare gebeurtenis met je kan doen.' Hij slaakte een zucht en zweeg een moment. 'En nu kom ik afscheid nemen. Ik geloof dat je ouders het hebben bijgelegd. Jozef is terug, en hij veroordeelt mij niet. Dat is een ongelooflijk geschenk, speciaal omdat hij het is. Leandra, ik denk dat jij gelukkig zult worden met Maarten. Clara zal haar weg wel vinden, al is het niet met mij. Vergeef me dat ik zo lang aan het woord was. En dat ik je opnieuw van streek heb gemaakt.'

Leandra haalde diep adem. 'Ik dank je voor het vinden van Jozef,' zei ze dan zacht maar duidelijk. Daarmee heb je voor mij veel goedgemaakt.' Ze ging op haar tenen staan en drukte een kus op zijn wang. 'Mensen als je vader kan ik niet vergeven. Nu nog niet. Misschien ooit. Maar jij bent je vader niet. En het is duidelijk dat je niet op hem lijkt.'

Ze keken elkaar aan.

Ze zag dat hij moeite moest doen om zijn emoties te verbergen.

'Misschien ga ik voor een jaar met Jozef mee naar Israël,' zei hij dan.

'Een architect kunnen ze daar vast wel gebruiken,' glimlachte ze.

Toen hij enige tijd later wegreed, bleef ze hem even nakijken.

'Heb je hem weggestuurd?' vroeg Clara naast haar.

'Zeker niet. We hebben gepraat.'

'Kijk eens aan. Dat is een vooruitgang. Hij gedroeg zich in jouw buurt alsof hij toestemming nodig had om te bestaan.'

'Wij begrijpen elkaar nu veel beter,' zei Leandra.

Clara wilde een scherp antwoord geven, in de trant van dat iedereen haar beter zou begrijpen als ze haar mond opendeed. Maar ze dacht er bijtijds aan dat ze Leandra te vriend moest houden. Als ze zich vijandig gedroeg tegenover haar, zou Jozef haar dat zeker kwalijk nemen.

10

Enkele dagen later bracht Ditte een bezoekje aan freule Vliedberg. Ze had van tevoren willen bellen, want sinds kort hadden ze telefoon, maar de freule bleek nog niet aangesloten te zijn.

'Je zou toch zeggen dat ze geld genoeg heeft,' meende Maarten.

'Het is niet altijd een kwestie van geld. Misschien wil ze de toestand laten zoals die is. Tenslotte heeft ze al zo'n vijfenzeventig jaar overleefd zonder telefoon,' zei Chris, die het zwarte kastje nog steeds met enig wantrouwen bekeek.

Ditte fietste die oktoberdag naar de buitenplaats. Ze ging er maar van uit dat de freule thuis zou zijn. De vrouw kwam zelden in het dorp. Ditte had de buitenplaats natuurlijk vaak genoeg gezien, maar altijd van een afstand. Van dichtbij zag ze dat het huis wel enigszins verwaarloosd was. Op Dittes bellen kwam er een vrouw naar de deur, en Ditte begreep dat zij de huishoudster moest zijn. Ze kwam niet uit deze streek en bemoeide zich met niemand, had ze wel eens gehoord.

'En?' vroeg de vrouw tamelijk kortaf.

'Ik heb een afspraak met mevrouw Vliedberg.'

'Daar is mij niets van bekend,' klonk het onwillig.

'Zeg maar dat het gaat om de aquarellen,' zei Ditte, die zich niet zomaar liet afschepen. Stel je voor dat mevrouw de hele afspraak met Chris was vergeten.

De vrouw bekeek haar nog eens van top tot teen en zei toen: 'Kom maar even binnen.' Ze wees op de houten bank die in de ruime hal stond.

Ditte ging zitten en kreeg een gevoel alsof ze in de wachtkamer bij de tandarts zat. Ze ging hier echt geen gunsten vragen, sprak ze met zichzelf af. Het duurde geruime tijd, en Ditte begon wat heen en weer te drentelen. Hoe aardig Chris het ongetwijfeld had bedoeld, ze zou willen dat hij niet op dit idee gekomen was.

Toen de deur werd geopend, was daar opnieuw de huishoudster. 'Mevrouw kan u ontvangen,' zei ze op een toon alsof ze het er absoluut niet mee eens was.

De freule zat in een grote leunstoel, waar haar kleine tengere figuurtje bijna in verdween. Ze keek Ditte afwachtend aan.

Straks weet ze echt niet waar het over gaat, dacht Ditte paniekerig. 'Ik hoorde van mijn man dat u eventueel mijn schilderstukjes tijdelijk een plaatsje zou willen geven,' zei ze onhandig.

'Aha. Jij bent de vrouw van die knappe blonde boer. Ik had me je heel anders voorgesteld. Jij bent duidelijk geen boerin.'

'Dat word je niet zomaar door met een boer te trouwen.'

De vrouw knikte en stak haar een magere beringde hand toe. 'Als je het niet erg vindt, blijf ik zitten. Het opstaan gaat met enige moeite gepaard. Heb je werk van jezelf meegenomen?'

Ditte schudde het hoofd. 'Eerlijk gezegd wilde ik eerst met u praten. Of u dit echt wilde en waarom.'

'Jij dacht dat je man zomaar iets verzonnen had.'

'Nee. Nee, natuurlijk niet,' zei Ditte terwijl ze een kleur kreeg. Ze had overigens wel gedacht dat Chris een en ander niet goed had begrepen.

'Hij kwam sympathiek bij mij over. Ik kreeg de indruk dat hij trots op je was. Hij vertelde dat er in de stad niet veel belangstelling was geweest voor je expositie. En dat je daardoor was gestopt met schilderen. Is dat zo?'

Ditte gaf niet meteen antwoord. Chris had zich veel meer

in de zaak verdiept dan ze had gedacht. Ze had gemeend dat hij het wel prettig vond als ze het schilderen eraan gaf. Ze ving de scherpe blik van de oudere vrouw op. Haar blauwe ogen waren opmerkelijk helder.

'Als mensen wat meer met elkaar praatten, zouden er minder misverstanden ontstaan,' zei ze. 'Maar goed, ter zake. Ik heb ruimte genoeg. Je kunt de salon gebruiken om alles op te hangen. En dan maken we een soort folder en hangen die op naast de kerkdeur. Wat vind je daarvan?'

'Misschien komt er niemand,' zei Ditte.

'Niet zo onzeker. Maak je geen zorgen. Als ze niet voor jouw werk komen, komen ze wel om mijn huis van binnen te zien.'

'Ik zal de volgende keer mijn werk meebrengen,' zei Ditte.

'Ja, en iemand die het voor je wil ophangen.'

'Bedankt dat u dit wilt doen,' zei Ditte.

'Ik doe het ook voor mezelf. Ik zie hier nooit iemand. Er zijn geen mensen die mij ergens voor nodig hebben. En toen kwam ineens die knappe echtgenoot van je. Het is dat ik al oud ben, want anders zou ik proberen hem te verleiden. Ja, ik heb vroeger... nou ja, ik moest ze van me af slaan.' Ze lachte.

Ditte kon zich bij dat laatste wel iets voorstellen. Ze moest vroeger mooi zijn geweest, en ze had een bijzonder aanstekelijke lach en nog steeds een ondeugende glinstering in haar blauwe ogen. 'Ik geloof dat ik goed op mijn man moet passen,' zei ze.

'Dat zou ik zeker doen, liefje. Je weet maar nooit wie hij nog eens tegenkomt. Maar laten we een afspraak maken.'

Ditte regelde het voor de komende zaterdag. Op die dag had zowel Maarten als Chris wat meer tijd. Eenmaal op de terugweg bedacht ze dat het gesprek verrassend genoeg voor een groot deel over Chris was gegaan. Ze verbaasde zich nog steeds over dit initiatief van hem. Het was toch wel bijzonder. Zo kende ze hem helemaal niet.

Die avond vertelde ze hem over haar afspraak met mevrouw Vliedberg.

Chris knikte. 'Als je alles verzamelt wat je wilt tentoonstellen, nemen we alles mee in de auto.'

Chris had inmiddels ook zijn rijbewijs, en hij beleefde daar veel plezier aan.

'Wat ga je daar doen?' vroeg Clara toen ze ervan hoorde. Ditte vertelde het haar.

Clara keek vol verbazing naar haar vader. 'Heb jij dat echt geregeld? Wat raar.'

'Waarom raar?' reageerde Chris geprikkeld.

Clara haalde haar schouders op. Blijkbaar vond ze het niet belangrijk genoeg om zich er verder in te verdiepen. 'Zijn jullie dan de hele zaterdag weg?' vroeg ze na een moment. 'Jozef komt toch.'

'Met een paar uur is het wel bekeken,' antwoordde haar moeder. 'Trouwens, Jozef is geen vreemde meer. Daarbij komt hij in hoofdzaak voor Leandra.'

'Ik kan wel voor jullie koken,' stelde deze voor.

'Jullie doen alsof we een hele week weggaan,' zei Chris. En tegen Ditte: 'Als je hulp nodig hebt om de boel naar beneden te brengen, hoor ik het wel.'

'Ik begrijp jou niet, pa,' viel Clara opeens uit. 'Je hebt nooit naar dat schilderen omgekeken. Maar nu er een paar kerels waren die er belang in stelden, en niet alleen in mamma's werk, maar ook in haarzelf, verander je ineens. Ben je bang dat ze er met één van hen vandoor gaat?'

'Clara,' zei Maarten scherp.

'Nou, ik vind het raar,' zei Clara voor de tweede keer.

'Het leven is vol raadsels,' zei Chris luchtig.

Maar Ditte zag aan zijn ogen dat Clara niet ver naast de waarheid zat. En ineens had ze met hem te doen. Toen hij de kamer verliet, volgde ze hem naar buiten. 'Je hoeft jezelf geen geweld aan te doen,' zei ze rustig. 'Ik ga heus niet bij je weg.'

'Ik ben van mening dat je wat meer aandacht verdient,' antwoordde hij. 'Daarvoor hebben die twee schilders mij de ogen geopend. Laat iedereen niet doen alsof ik ineens een ander persoon ben geworden.'

Hij liet haar staan, en ze keek hem na. Een kaarsrechte gestalte. Een knappe man, had de freule gezegd. Chris vond dat hij te weinig aandacht aan haar besteedde. Maar dat was van haar kant ook het geval. Ze waren ieder een andere weg ingeslagen. Maar ze had nu hoop dat het nog niet te laat was om de weg naar elkaar terug te vinden.

Clara verheugde zich op de zaterdag. Jozef zou komen, en haar ouders zouden enkele uren weg zijn. Maarten was er natuurlijk wel, maar die had vast wel iets te doen. Ze ging ervan uit dat Leandra bij hem in de buurt zou blijven.

Het liep echter anders. Leandra was inderdaad het liefst bij Maarten. Dat had Clara wel goed gezien. Maar nu ze haar broer terug had die ze tien jaar had moeten missen, wilde ze hem ook niet uit het oog verliezen. En Jozef dacht er hetzelfde over.

Clara besloot Jozef mee te vragen naar de dijk. Het was er heerlijk rustig, vertelde ze hem. Ze wist inmiddels dat Jozef niet van drukte hield. Daar zou ze wel proberen een beetje verandering in te brengen, had ze zichzelf voorgenomen. Jozef vond het een goed idee, maar hij stelde meteen voor Leandra mee te nemen.

'Hè, waarom moet dat nou?' Het was eruit voordat ze het wist.

Hij keek haar aan en zei: 'Je mag haar niet, is het wel?'
Clara beet op haar lip. 'Ze heeft zo veel aandacht nodig.
En ze wil vast liever bij Maarten blijven.'
Maarten was druk bezig, maar beloofde over een uur klaar te zijn.
Dus ging Leandra opgewekt met hen mee.
Ze heeft een enorm bord voor haar kop, dacht Clara boos.
Ze had nu het gevoel er maar zo'n beetje bij te hangen.
Ze zaten in het gras tegen de dijk.
Clara ging een eindje van hen af zitten. Ze voelde zich verongelijkt en had het idee dat ze het niet eens in de gaten zouden hebben als ze wegging. Hoe kon ze Jozef voor haar interesseren? Clara dacht aan een verhaal dat ze pas had gelezen. Daarin ging een vrouw wel heel ver. Dat zou zij nooit durven. Of toch wel? Als dat nu eens de enige weg was ...
'Hé, slaap je?' Het was Jozef.
Ze keek hem een beetje wazig aan en schudde dan haar hoofd.
'Leandra is naar Maarten,' zei hij.
'Ja. Die twee schijnen elkaar te hebben gevonden. Wat vind jij daarvan?'
'Ik hoop dat ze van elkaar blijven houden,' zei hij eenvoudig.
'Dus jij vindt het wel goed?'
Hij fronste het voorhoofd. 'Ik heb niets goed te vinden. Leandra is volwassen, en in mijn ogen weet ze heel goed wat ze doet. Ze denkt dat ze hier gelukkig zal zijn. Maarten schijnt een manege te willen beginnen, en Leandra is dol op dieren. Dat is dus wel een goede keus, denk ik.'
'Leandra heeft een keer een koe geholpen bij een bevalling,' zei Clara.
'Je meent het.'

Clara vertelde het hele verhaal. Als er dan niet op een andere manier contact mogelijk was dan door over Leandra te praten, dan moest het maar. Zij had nog wel een paar pijlen op haar boog.

Niemand wist dat Leendert intussen voortdurend oefende om te proberen zijn been en arm sterker te maken. Het feit dat deze inspanningen nauwelijks resultaat opleverden, dreef hem bijna tot wanhoop. Het verlangen paard te rijden werd bijna een obsessie voor hem. Niemand praatte er echter over. De anderen gingen er waarschijnlijk van uit dat het nooit meer mogelijk zou zijn, en beschouwden het als afgedaan. Maar Leendert kon zich niet bij zijn beperkingen neerleggen. Beurtelings was hij wanhopig en woedend. Alles kostte hem zo veel energie dat hij er doodmoe van werd.

Met behulp van Chris had Ditte haar aquarellen naar de freule gebracht en daar in de salon opgehangen. Het zag er allemaal wat iel en klein uit, vond ze zelf. Maar de freule was enthousiast en haalde er onmiddellijk een voor haarzelf uit.

Ditte ging die middag naar de stal waar Chris bezig was met de melkmachine. De koeien bleven nu in de nacht binnen. Het was bijna november, en er was al nachtvorst geweest. Overdag gingen ze nog naar buiten. Het was eigenlijk dubbel werk, maar er was nog groei in het gras, en hoe langer de koeien buiten wat te eten vonden, des te beter. Ditte keek naar zijn bezigheden en bedacht dat ze niet eens wist hoe de machine werkte. Als er met Chris iets mis zou zijn, zou ze alles aan Maarten moeten overlaten.

'Wil je mij spreken?' vroeg Chris afgemeten.

'Eigenlijk wel,' zei ze even formeel.

Hij keek haar aan. 'Kan dat niet tot vanavond wachten?'
Ze knikte, verliet de schuur en ademde buiten de frisse lucht in. Ze was geen boerin, en ze zou het nooit worden ook.

Nu de avonden korter werden, waren de mannen ook wat vroeger binnen. Maarten was bij Leandra op haar kamer. Chris had daar in het begin bezwaar tegen gemaakt, maar Maarten had het rustig naast zich neergelegd met de woorden: 'Ik ben volwassen. Je kunt ons vertrouwen.'
'Soms kom je ook als volwassene voor verrassingen te staan,' had Chris opgemerkt.
Leendert had een geluid laten horen dat nog het meest op grinniken leek. Maar meteen daarna staarde hij weer zwijgend voor zich uit. Hij bleef nu ook in de avond vaak op zijn kamer.
'Op deze manier kun je geen vooruitgang verwachten,' had Chris opgemerkt.
Maar zijn vader had hem aangekeken met een blik die zoveel zei als: 'Doe geen moeite. Ik heb niets te verwachten.' Ook het schilderen had hij eraan gegeven. Leandra ging nog wel regelmatig zijn kamer binnen en praatte tegen hem.
'Hij wil niet meer,' had ze tegen Maarten gezegd. 'Dat wij met z'n allen niets voor hem kunnen doen, zit mij nog het meeste dwars.'
'Sommige mensen zijn niet te helpen,' meende Maarten tamelijk gemakzuchtig.

Clara was die avond ook op haar kamer gebleven. Ditte wist dat ze nu de gelegenheid had om met Chris te praten, maar ze wist niet hoe ze moest beginnen. Het was alsof ze verlegen was voor haar eigen man.

'Je wilde iets met me bespreken,' zei Chris na tien minuten stilte. Zijn blauwe ogen keken haar recht aan. Eerlijk en trouw. Die woorden kwamen uit het niets tevoorschijn. De tranen schoten Ditte in de ogen. 'Het spijt me,' zei ze zacht.

'Wat spijt je?' Zijn toon klonk verontrust.

'Dat ik niet aan je verwachtingen kan voldoen. Ik ben geen boerin. Ik zal nooit worden zoals Koosje was...'

'Ik heb al maanden de naam van Koosje niet genoemd. Ze is al twintig jaar dood. Het zou niet gezond zijn als ik nog steeds om haar rouwde.'

'Maar je hebt mij wel vaak met haar vergeleken.'

'Ik geef toe dat ik dat niet had moeten doen. Maar vergeleek jij me niet met die Lars? En dacht je dan niet dat ik altijd een boer zou blijven? Dat ik niet meer in mijn mars heb dan de boerderij. En je hebt gelijk. Dit hier is mijn leven.'

Ditte zei niets. Soms leek het erop dat Chris precies wist wat er in haar omging, terwijl zij dacht dat hij geen enkele interesse voor haar had. Kende ze hem zo slecht? Of was ze alleen met zichzelf bezig geweest. 'Je bent veranderd,' zei ze zacht.

'Sinds ik vijfentwintig was? Dat mag ik hopen. Ik ben sommige zaken duidelijker gaan zien. Mede door de ziekte van mijn vader ben ik gaan inzien dat een mens zuinig moet zijn op wat hij heeft.'

'Ik vind het zo bijzonder dat je naar die freule Vliedberg bent gegaan.'

'Dat vond ik van mezelf ook,' grinnikte hij. 'En ik moet je bekennen dat ik daar bepaald niet ontspannen heen ging.'

'Misschien heeft er wel niemand belangstelling voor,' zei ze.

'En wat dan nog. Daardoor word jij niet minder. Je hebt opmerkelijk weinig zelfvertrouwen voor iemand op wie twee mannen tegelijk verliefd werden. En dan reken ik mezelf er nog niet eens bij.'

'O, Chris.' Na een lichte aarzeling ging ze naar hem toe. De stoel was breed genoeg, en hij maakte een uitnodigend gebaar. Ze ging naast hem zitten en hij trok haar dicht tegen zich aan.

'Weet je, Ditte, ik ben altijd bang geweest dat jij op een keer iemand anders zou ontmoeten.'

'Chris,' zei ze voor de tweede keer, 'het spijt me. Ik heb nooit serieus overwogen bij je weg te gaan.'

'Mooi. Was er nog iets waarover je wilde praten?'

'Er is zo veel. We hebben elkaar verwaarloosd. De kinderen...'

'Moet dat allemaal nu worden besproken?' viel hij haar in de rede.

Ze keek in zijn blauwe ogen en bleef hem aankijken. 'Nee, dat kan wel wachten. Ik geloof dat ik nu maar naar bed ga,' zei ze zacht.

'Precies. Dat is wat ik ook van plan was.'

Leendert zat die avond laat nog voor het raam. Hij tuurde naar de vertrouwde omgeving, die helder werd verlicht door de maan. Hij voelde zich onrustig en wist dat er maar één ding was wat hem kon kalmeren. Hij moest naar Thirza. Hij wist zeker dat het dier hem miste. Soms meende hij dat hij het paard hoorde hinniken. De laatste week had hij hulp geweigerd bij het naar bed gaan. Ze kwamen nu gelukkig ook niet meer kijken of hij er al in lag en of hij nog iets nodig had. De eerste keer dat het gebeurde, had hij Ditte weggesnauwd met de opmerking dat hij geen klein kind was dat op een slaapliedje wachtte. Dat was niet erg aardig geweest, want ze bedoelde het vast goed. Maar hij had grondig genoeg van alle goede bedoelingen. Maar op dit moment zou een gebed niet verkeerd zijn, dacht hij bij zichzelf. Hij wist alleen niet of God zou luisteren naar mensen die roekeloos gedrag vertoonden. En roekeloos was wat hij van plan was. Misschien zou hij het niet overleven. Maar als het ging zoals nu, had hij ook het gevoel dat hij nauwelijks meer in leven was. Hij vouwde zijn handen en zei in gedachten: Heer, ik zou zo graag voor één keer weer het gevoel hebben dat ik leef. Hij bleef in zijn stoel zitten totdat hij zeker wist dat iedereen naar bed was. Leandra's broer was er niet. Die had nogal eens de neiging midden in de nacht buiten te lopen. Wellicht was hij het gevoel gevangen te zijn nooit helemaal kwijtgeraakt. En voelde hij zich al snel opgesloten. Maar nu was hij er niet. En Leendert wilde zich ook vrij voelen. Hij keek naar het briefje dat hij geschreven had en dat nu midden op tafel lag. Een zakelijke mededeling, hoopte hij. Niemand hoefde er een drama van te maken als er iets gebeurde. Hij hoopte dat dat zou overkomen. Hij stond nu op uit zijn stoel en liep een paar keer heen en weer. Hij trok nog steeds met zijn been; zonder stok ging het niet. Zijn arm functioneerde ook niet echt goed. En dan zijn spraak. Hij kon veel woorden niet vinden en zei soms belachelijke dingen. Maar hij ging ervan uit dat Thirza daar geen last van zou hebben. Ook niet als hij het paard ineens een andere naam gaf. Het ging om de klank van zijn stem. Hij pakte de suikerklontjes die al klaar lagen en liep naar de deur. Nadat Chris het hang- en sluitwerk had gesmeerd, kraakte dat gelukkig niet meer. Van de buitendeur was hij minder zeker. Maar hij zou zich er niet door laten weerhouden.

Het kostte Leendert veel tijd en moeite bij de stal te komen. Toen hij er eenmaal was, had hij geruime tijd nodig om op adem te komen. Zijn conditie stelde niets meer voor. Hij voelde zich stokoud zoals hij daar stond, bevend tegen de staldeur geleund. Na een tijdje floot hij zachtjes. Er kwam geen reactie, en ineens dacht hij: stel je voor dat Thirza weg was. Verkocht zonder dat het hem verteld was. Er was immers niemand die het dier bereed. Hij streek zich met bevende hand over het voorhoofd. Dat zouden ze niet wagen, hoewel zijn woede ook niet veel meer voorstelde. Hij had zelfs geen energie om kwaad te worden. Maarten wilde een manege beginnen, bedacht hij dan. Daar zouden ze een mak paard als Thirza goed kunnen gebruiken. Nog eens floot hij. Dan hoorde hij zacht briesen en hoeven die over de grond schraapten. Onverhoeds schoten hem de tranen in de ogen. Wat had hij het dier gemist. En wat was hij een zwak figuur geworden. Hij kon zich niet herinneren wanneer hij in zijn volwassen leven had gehuild. Maar hij was de controle over zichzelf kwijtgeraakt. Voetje voor voetje liep hij naar de box van het paard. Eenmaal bij het dier gaf hij het een paar klontjes en klopte hij het liefkozend op de hals. Dan leidde hij haar naar buiten. Eenmaal daar bleef Thirza geduldig staan wachten.

En wat nu, dacht Leendert. Hij moest zien op de paardenrug te komen. Dat zou moeilijk zijn met zijn onwillige linkerkant. Maar hij zou niet opgeven. Daarvoor was hij al te ver gekomen. Er stond een trapje van drie treden, en dat zette hij naast het paard neer. Een beetje besluiteloos keek Leendert ernaar. Als hij eenmaal op dat wankele ding stond, moest hij met één zwaai op de paardenrug zien te komen. 'Jammer dat je niet bent zoals een kameel,' mompelde hij. Hij klom het trapje op en stond even hijgend stil, zich vasthoudend aan de manen van het dier. Thirza draaide haar hoofd naar hem toe, maar bleef rustig staan. Leendert zette zich af en kwam half scheef op de rug van het paard terecht. Hij wist zich echter overeind te houden, zijn hand nog steeds om de manen geklemd.

'Toe maar,' zei hij zacht. 'Toe maar.' Althans, hij hoopte dat hij dat zei. Het paard kwam in ieder geval in beweging, heel rustig, stapvoets. Leendert voelde dat hij niet lang rechtop kon blijven zitten. Hij klemde zijn tanden op elkaar en zette het dier aan om over te gaan in draf. Leendert zat nog steeds, en ondanks het gevoel van zwakte en de pijn in zijn rug voelde hij zich beter dan lange tijd het geval was geweest. 'Thirza,' fluisterde hij. Hij zag de oren zachtjes bewegen. 'Je kent me nog. Weet je, je bent een koninklijk paard. Ik ga jou voordragen voor een lintje bij de koningin.'

Leendert wist niet of hij dat allemaal echt zei of alleen maar dacht. Hij klakte met zijn tong, en ineens scheen het paard er zin in te krijgen. Ze begon over te gaan in galop.

Dit kan niet goed gaan, dacht Leendert vaag. Er waren echter geen teugels om het dier in te houden. En hij wilde het ook niet. De wind blies langs zijn gezicht, en hij voelde zijn rug nauwelijks meer.

Ditte werd wakker en lag even doodstil te luisteren. Het was alsof ze het geluid van paardenhoeven had gehoord. Ze moest hebben gedroomd. Ze draaide zich op haar zij en legde Chris arm weer om zich heen. Het was lang geleden dat ze zo in slaap waren gevallen.

Ook Leandra schrok wakker. Zij schoot meteen rechtop. Er was iets niet zoals het hoorde, maar ze wist niet wat. Waren de paarden losgebroken. Wat kon er gebeurd zijn? Het geluid van de paardenhoeven klonk verder weg, en Leandra ging aarzelend weer liggen. Ze voelde er niet veel voor midden in de nacht haar bed uit te gaan om buiten te gaan kijken. Ze zou Maarten wakker kunnen maken, maar ze had enige schroom om zijn slaapkamer binnen te gaan. Als de anderen dat hoorden, zouden ze denken dat ze de nacht bij hem had doorgebracht.

Intussen was Thirza op het zanderige pad naast de boerderij terechtgekomen. Leendert lag voorover op haar rug en hield zich nog steeds met één hand vast. Maar dat zou hij niet lang meer volhouden. Ineens voelde Leendert dat hij begon te glijden, en even later landde hij met een klap op de grond. Dit zal het einde zijn, dacht hij zonder zich druk te maken. Hij deed geen moeite om zich te bewegen, maar bleef roerloos liggen. Het paard galoppeerde nog even verder en kwam toen terug. Ze bleef bij Leendert staan, het hoofd naar beneden.

'Dit is niet jouw schuld,' mompelde Leendert. 'Dit is wat ik zelf graag wilde. Op jouw rug over het land galopperen. Niemand neemt me dit meer af.'

Leandra kon niet meer slapen. Ze was er niet gerust op. Dus gleed ze toch haar bed uit en liep ze op blote voeten in haar pyjama naar Maartens kamer. Ze gaf een tikje op de deur. Harder kloppen durfde ze niet. Clara sliep in de kamer ernaast. Ze opende de deur en ging op haar tenen de kamer binnen. Maarten leek in diepe slaap. Had zij het dan toch gedroomd? Ze liep naar het raam en tuurde door een kier van de gordijnen. Ze zag niets verontrustends. Na enige aarzeling besloot ze terug te gaan naar haar bed. Toen ze weer op de gang stond, kwam Clara uit haar kamer.

'Ik dacht wel dat jij het was,' zei deze zonder haar stem te dempen. 'Hoe kun je dat doen? Vader en moeder vertrouwen je.'

'Ik dacht dat ik buiten iets hoorde,' zei Leandra zonder veel hoop dat Clara haar zou geloven.

'Verzin een betere smoes,' zei deze dan ook.

De deur werd nu achter Leandra geopend, en Maarten stond op de drempel. 'Wat heeft dit te betekenen midden in de nacht,' vroeg hij nors.

'Datzelfde vroeg ik me ook af,' antwoordde Clara.

'Leandra kwam zojuist uit jouw kamer. Ik neem aan dat je dat wel weet.'

'Komen jullie even binnen,' zei Maarten. 'Jullie maken iedereen wakker.'

Even later waren ze alle drie in Maartens kamer. De laatste was op zijn bed gaan zitten en had de gordijnen opengeschoven. De maan gaf voldoende licht om elkaar te kunnen zien.

'Ik hoorde Leandra op de gang en uit je kamer komen,' zei Clara nog eens.

'Ja, en? Zijn dat jouw zaken?' vroeg Maarten boos.

'Ik vind dat stiekeme gedoe van jullie beneden alle peil.'

'Het kwam doordat ik een paard hoorde draven,' zei Leandra nu.

'Wat een onzin. De paarden zijn binnen. Die komen niet eigenhandig uit hun boxen,' zei Clara een beetje spottend. 'Je moet toch echt iets beters verzinnen.'

Leandra haalde haar schouders op. Ze was er ineens niet meer zeker van dat ze werkelijk paarden had gehoord. Het was ook wel erg onwaarschijnlijk. 'Ik heb zeker gedroomd,' zei ze.

Clara liet een spottend lachje horen.

Maarten keek haar boos aan. 'Ik ga toch even kijken of alles in orde is. Trek iets aan, Leandra, en ga met me mee.'

Leandra verdween in haar kamer. Ze hoorde Clara nog net zeggen: 'Dan gaan jullie in de schuur zeker verder met waar jullie mee bezig waren, neem ik aan.'

'Zou jij zoiets doen?' vroeg Maarten strak.

'Natuurlijk niet.'

'Denk het dan ook niet van mij.'

'Ik vertrouw Leandra niet. Ze zal alles doen om jou te krijgen.'

'Dat is niet nodig, Clara. Ze heeft me al, en dat weet ze.'
Maarten wachtte totdat Leandra terugkwam. Ze had alleen een jas aangetrokken over haar pyjama. Maarten pakte haar bij de hand, en zachtjes liepen ze de trap af.

Clara keek hen even na en ging toen haar kamer weer binnen. Ze waren zo samen, die twee. Ze voelde zich buitengesloten. Clara wist heel goed dat ze jaloers was, vooral op alle aandacht die Leandra kreeg. En niet alleen van Maarten. Ze vroeg zich af of zijzelf Jozefs kamer in zou durven gaan wanneer hij hier logeerde. Hoe zou hij daarop reageren? Zou ze het risico durven nemen. Misschien zou hij haar zonder meer wegsturen. Dan zou ze zich vernederd voelen. Het was natuurlijk ook een hele stap. Ze kon dan wel zeggen dat ze voor een praatje kwam, maar hij zou terecht zeggen dat ze daarvoor niet midden in de nacht hoefde te komen. En toch had ze het gevoel dat ze Jozef een flinke zet in de rug moest geven, zo dat hij haar eindelijk echt zou zien.

Maarten en Leandra verlieten geruisloos het huis en liepen toen snel naar de stallen. Een moment later stonden ze bij de lege box.

'Thirza,' fluisterde Leandra. En meteen erachteraan: 'Leendert.'

'Dat kan helemaal niet,' protesteerde Maarten.

'Hij wilde het zo graag,' zei Leandra. 'Hij probeerde het met een trapje.' Ze begon nu te stotteren. 'Ik heb hem geholpen... Maar het ging echt niet. En nu heeft hij het toch gedaan.' Ze wees naar het omgevallen trapje en begon te huilen. 'Het is mijn schuld.'

'Natuurlijk is het jouw schuld niet,' zei Maarten. 'Laten we eerst maar eens kijken of hij niet gewoon in zijn bed ligt.'

'Dat heeft geen zin. Hij is gaan paardrijden,' zei Leandra stellig.

'Hoor je nu zelf niet hoe belachelijk dat klinkt, Leandra? Een man die kampt met de gevolgen van een hersenbloeding, die alles nodig heeft om te lopen, is gaan paardrijden. Dat is echt onmogelijk.'

'Hij heeft een ijzeren wil,' zei het meisje. Ze begon het pad af te lopen.

Maarten volgde haar na een moment. Hij was er nog steeds niet van overtuigd dat ze gelijk had, maar hij wilde haar ook niet alleen laten gaan. Buiten het hek stond ze stil.

'Waar kan hij heen zijn? Waar ging hij meestal rijden?' vroeg Leandra zich hardop af.

'Het pad langs de weide,' wist Maarten. Om de kromming van de weg zagen ze het paard staan. Het dier hief het hoofd op toen het hen hoorde, maar bleef rustig staan waar het stond.

'Lieve help,' zuchtte Maarten, 'wat kan er gebeurd zijn.'

Ze haastten zich naar het paard en zagen toen Leendert als een vormeloze hoop op de grond liggen. Maarten knielde bij hem neer.

'Is hij dood?' vroeg Leandra, nog steeds half huilend.

'Helemaal niet,' klonk het volkomen helder. 'Ik vond dit een goede manier om de sterren te bestuderen.'

'O, Leendert, hoe kon je zo onverstandig zijn.' Leandra zakte door haar knieën met het gevoel dat haar benen haar niet meer konden dragen.

'Misschien was het onverstandig. maar ik zou het zo weer doen,' zei Leendert stellig. En hij voegde eraan toe: 'Ik weet trouwens ineens een heleboel woorden. Misschien is door de schok mijn spraakcentrum weer op gang gekomen. Of de Heer heeft een wonder verricht.'

'Kun je opstaan?' vroeg Maarten. Hij verwachtte ieder

moment dat zijn grootvader compleet zou instorten en deze val alsnog niet zou overleven.

'Dat heb ik nog niet geprobeerd.'

'Je kunt van alles gebroken hebben,' mopperde Maarten.

'Fijn dat je zo positief denkt,' zei de oudere man.

Maarten reageerde er niet op. Zijn grootvader was de laatste tijd juist degene die zeer gedeprimeerd was. Als het werkelijk zo goed was afgelopen als het er nu uitzag, had dit ritje te paard hem uit een diep dal gehaald. Samen met Leandra hielp hij Leendert overeind. Het ging moeizaam, en heel stevig stond zijn grootvader niet. Maar hij leek niets te hebben gebroken. Voetje voor voetje begonnen ze nu aan de terugweg. Het was nog een heel eind, en ze moesten vaak rusten. Maarten wist wel zeker dat zijn grootvader op zijn tanden beet. Hij had nooit zwak willen zijn.

Toen ze weer een moment stilstonden zei Leendert: 'Ik ga Thirza een kunstje leren. Ik ga haar leren knielen als een kameel.'

Leandra begon hardop te lachen en kon niet meer ophouden. De mannen lachten met haar mee, en zo kwamen ze gezamenlijk tamelijk rumoerig binnen.

Boven ging een deur open, en verscheen Chris in een blauwe gestreepte pyjama, met zijn haar alle kanten uit en een stomverbaasd gezicht. Dit werkte nog meer op Leandra's lachspieren.

'Wat is er zo leuk midden in de nacht?' klonk het korzelig. 'Vader, wat doe jij in vredesnaam buiten.'

'Ik heb wat rondgereden,' bromde Leendert. Zijn hand klemde zich intussen stevig om Maartens schouder, en deze wist dat ze naar binnen moesten, wilde zijn grootvader niet door zijn benen zakken.

Ditte kwam nu ook naar buiten. 'Wat is er gebeurd? Was Leendert ervandoor gegaan?'

'Ja. Helemaal in m'n eentje. Hoewel, Thirza was erbij. En ik weet zeker dat Hij daarboven er ook bij was.'

Chris en Ditte keken elkaar aan. Was Leendert nu volledig de kluts kwijt?

'Laten we maar naar binnen gaan,' zei Chris.

Even later ging Leendert met een diepe voldane zucht in zijn stoel zitten. 'Zo.' Het klonk intens tevreden. 'Gaan jullie nu maar naar bed,' stelde Leendert voor.

'En jij dan? Moet ik soms de deur op slot doen?' vroeg Chris geïrriteerd. Hij had het gevoel de zaak niet in de hand te hebben.

'Waag het niet,' zei zijn vader op zijn bekende autoritaire toon. 'Ik blijf hier vannacht wel zitten.'

'Morgen laten we de dokter komen,' besliste Chris.

Leendert bromde iets, maar hij had blijkbaar niet meer de energie om Chris tegen te spreken.

'Ik ga Thirza binnenbrengen,' zei Maarten.

De anderen gingen ieder naar hun eigen kamer.

Leandra deed de deur achter zich op slot. Ze wilde Clara niet opnieuw tegen het lijf lopen. Clara liep 's morgens regelmatig bij haar binnen, en meestal kon ze het dan niet laten een kritische opmerking te maken. Leandra dacht bij zichzelf dat het prettig zou zijn als Clara iemand anders had om haar aandacht op te richten. Als het maar niet haar broer was. Ze had heus wel gemerkt hoe ze hem achterna liep. Ze wist ook bijna zeker dat Jozef geen belangstelling had. Maar Clara kon enorm vasthoudend zijn. En als door haar gedrag Jozef hier niet meer wilde komen, was zij zelf ook de dupe.

11

De volgende morgen aan het ontbijt werd het gebeurde van die nacht uitvoerig besproken. Leendert zat er in eerste instantie zwijgend bij. Dat waren ze echter inmiddels van hem gewend. Hij luisterde enige tijd naar alle veronderstellingen. Hoe was het toch mogelijk dat Leendert op de rug van een paard terechtgekomen was?

'Of heeft hij er alleen naast gelopen?' vroeg Clara zich af. Ze was opgelucht dat Leandra niets had gezegd over haar onterechte beschuldigingen van die nacht. Als ze een en ander maar niet aan Jozef vertelde.

Het werd Leendert te gortig toen Ditte zich afvroeg of het paard uit zichzelf hierheen was gekomen. 'Als jullie eens aan mij vroegen hoe het is gegaan,' bromde hij.

Ze keken elkaar aan. Het gebeurde niet vaak dat Leendert foutloos een volledige zin achter elkaar zei. 'Ik ben via het trapje op Thirza's rug geklommen.'

'Hoe kwam je op het idee?' vroeg Chris verbaasd.

'Gewoon nadenken,' zei Leendert met een knipoog naar Leandra.

Leandra glimlachte. Hij zou haar zeker niet de schuld geven.

Toch liet Chris de dokter komen. Hij kon echter geen enkele verwonding bij Leendert ontdekken.

'De Heer heeft mij bewaard,' zei Leendert vol overtuiging.

De arts ging er niet op in. Hij had zich nooit veel in geloofszaken verdiept, maar het kwam ook niet in hem op Leendert tegen te spreken. Hij had dit soort opmerkingen in deze omgeving vaker gehoord.

'Er zijn hooguit wat lichte kneuzingen,' zei de arts uiteindelijk. 'Toch zou ik iets dergelijks niet meer riskeren. Het kan een volgende keer heel wat slechter aflopen.' Hij keek Leendert aan en wist dat deze niet naar zijn raad zou luisteren. Sterker nog, hij was vast van plan het opnieuw te proberen. Eenmaal buiten waarschuwde de dokter ook Chris nog eens.

Deze zuchtte. 'U kent hem. Ik kan hem moeilijk vastbinden, is het wel? Daarbij is hij er duidelijk door opgeknapt. Hij praat ineens meer en zegt ook nog de goede woorden.'

De dokter haalde de schouders op. 'Misschien wilde hij niet praten. Of er is door de val een klein stolsel losgeschoten.'

Toen de auto van de arts was weggereden, ging Chris terug naar zijn vader.

Leendert wees naar het briefje op tafel. 'Lees dit eerst.'

Chris ging erbij zitten.

'Beste allemaal. Als ik bij dit avontuur het leven erbij inschiet, heeft niemand daar schuld aan. Zeker Thirza niet.'

Chris keek op. 'Je zegt nu wel: 'Ik ben bewaard,' maar je wist dat je een groot risico nam. Je weet ook dat je niet zo roekeloos met je leven mag omspringen.'

'Geen preek,' reageerde Leendert. 'Ik wil dat het geld dat jullie van mij erven, voor het grootste deel wordt besteed aan de bouw van een manege. En misschien een woning voor Maarten en het meisje wanneer zij gaan trouwen. Er is hier ruimte genoeg. Of jullie verbouwen mijn huis. Als ik nog een tijdje blijf leven, wil ik toch een regeling treffen dat jullie een groot deel van mijn geld kunnen gebruiken. En Chris, houd die jongen nu niet tegen als hij een manege wil beginnen. Er is niets mooiers dan met paarden werken.'

Chris keek zijn vader aan. 'Je hebt wel nagedacht,' zei hij ironisch.

'Klopt. En daar is niets verkeerds aan. Trouwens, wat

moest ik anders doen. Ben jij het ermee eens dat we het zo doen?'

'Heb ik veel keus?' vroeg Chris.

'Nee,' antwoordde Leendert kalm. 'Ik wil dat jonge stel helpen, en jij gaat dat realiseren.'

Chris knikte kort. 'We zullen een afspraak maken met een notaris,' beloofde hij.

Toen Jozef twee weken later op weg was naar de boerderij, passeerde hij Clara. Hij stopte en vroeg: 'Wil je meerijden?'

Hoewel het slechts een kleine kilometer was, knikte Clara toch. Alleen al het feit dat ze even naast hem kon zitten, deed haar toegeven.

'Je bent dus alleen gekomen. Zonder Paul,' zei ze.

'Ik heb het Paul wel gevraagd. Maar hij was van mening dat hij hier niets meer te zoeken had. Ik dacht eigenlijk dat hij zich voor jou interesseerde.'

'In het begin vonden wij elkaar wel aardig,' gaf ze toe, 'maar hij bemoeide zich steeds meer met Leandra. Zo gaat het al mijn hele leven. Leandra is nu eenmaal aardig en behulpzaam, en ook nog leuk om te zien. Dat ben ik allemaal niet.'

Hij keek van terzijde naar haar. 'Dan heb je nooit goed naar jezelf gekeken.'

Clara zei niets, maar ze dacht des te meer. Hij vond haar dus wel aardig om te zien. Misschien dacht hij ook wel verder, en kwam hij niet alleen voor Leandra hierheen.

De auto hield stil voor het huis.

Clara bedacht dat ze zo wel heel lang zou willen blijven zitten. 'Er is hier van alles gebeurd de laatste week,' zei ze.

'Nou, dat krijg ik vast nog wel te horen.' Hij stapte uit.

Er zat voor Clara niets anders op dan hetzelfde te doen.

Ze liep met hem mee naar binnen. Toen ze zag hoe hartelijk hij Leandra begroette, dacht ze weer: het gaat toch alleen om haar.

Er werd die avond veel gepraat. Over Leendert en zijn rit te paard midden in de nacht. Over het feit dat Maarten en Leandra plannen hadden om het volgend voorjaar te trouwen. En natuurlijk over de bouw van de manege.

Clara zat erbij en had het gevoel dat ze naar een film keek waarin ze niet thuishoorde.

Ze hadden het ook nog over Paul. Jozef vertelde dat hij nu een vaste baan had gekregen op het architectenbureau. Hij was nu op zoek naar andere woonruimte.

'Waarom kwam hij niet mee?' vroeg Ditte. 'Hij hoort er toch ook een beetje bij. Zeker sinds hij jou heeft gevonden.'

Jozef glimlachte. 'Dat zal ik hem zeggen. Hij zal blij zijn dat te horen.'

Toen Clara die avond aan Jozef vroeg of hij meeging naar het dorp, stemde hij tot haar verrassing toe. Deze keer vroeg hij Leandra niet mee. Eenmaal in het café had ze echter al snel spijt dat ze hem mee had gevraagd. Hij hoorde er zo duidelijk niet bij. Toen ze na een halfuur vroeg of ze zouden vertrekken, was hij het er onmiddellijk mee eens. Ze liepen langzaam terug naar de auto. Het was donker, en toen Clara struikelde, greep hij haar hand. Binnen in haar begon iets zachtjes te zingen.

Eenmaal in de auto vroeg ze: 'Ga je echt naar Israël?'

'Ik denk dat ik wacht tot na Leandra's bruiloft. Opnieuw overkomen wordt allemaal erg duur. En ik wil daar natuurlijk bij zijn. Ik ben het enige familielid dat ze nog heeft.'

Clara haalde opgelucht adem. Het zou dus nog geruime tijd duren voordat hij echt vertrok. Ze wist dat ze geduld moest hebben, maar dat had ze niet. Ze wilde gewoon weten waar ze aan toe was. Jozef was vast te verlegen om meer te doen dan haar hand vast te houden.

Die avond lag ze lang wakker. Haar gedachten hielden zich voortdurend bezig met de roman die ze had gelezen. In de nacht was de vrouw naar de man toe gegaan op wie ze verliefd was. Hij wist nergens van, maar het was allemaal goed gekomen. Clara kreeg het erg warm en ging rechtop zitten. Zoiets zou zij nooit durven. Maar wat moest ze dan doen om Jozef duidelijk te maken dat ze verliefd op hem was en dat ze zelfs met hem mee zou gaan naar Israël als hij dat wilde. Als ze maar bij hem kon zijn. Hoorde ze gerucht in zijn kamer? Misschien was hij ook wakker en dacht hij aan haar. Ze hield het in bed niet meer uit en sloop even later de gang op. Er scheen een streepje licht onder zijn deur. Wat was hij aan het doen? Het was al één uur geweest. Misschien was hij wel ziek. Deze gedachte gaf de doorslag. Ze gaf een tikje op de deur en stapte binnen.

Jozef zat rechtop in bed een boek te lezen en keek haar hoogst verbaasd aan.

Clara kreeg een vuurrood hoofd. 'Ik wilde wat water gaan drinken. Ik zag licht op je kamer en toen dacht ik dat je misschien ziek was,' zei ze onbeholpen.

'Je ziet dat ik kerngezond ben. Misschien is het verstandig een glas water op je nachtkastje te zetten. Dan hoef je niet midden in de nacht naar beneden.'

'Maar jij leest midden in de nacht,' waagde ze.

'Dat doe ik omdat ik me dan beter kan concentreren. Als er tenminste niemand is die komt storen.' Het klonk duidelijk geïrriteerd.

Clara wist niets beters te doen dan te verdwijnen.

De vrouw in het boek was naast de man in bed gekropen. Het idee dat zij dit zou doen, was ronduit belachelijk. Het was duidelijk dat dit niet de juiste manier was om Jozef voor zich te winnen.

Ze ging terug naar haar kamer en vergat het glas water waarvoor ze deze tocht zogenaamd had ondernomen. Het was ook een slap excuus geweest.

Jozef hoorde de deur van haar kamer dichtgaan en legde zijn boek opzij. Hij wist heel goed dat Clara dacht verliefd op hem te zijn. Maar hij wist niet hoe hij haar duidelijk moest maken dat dit gevoel niet wederzijds was. Hij wilde haar niet op een botte manier afwijzen. Maar zo langzamerhand kreeg hij het gevoel dat dat de enige manier was om haar uit zijn buurt te houden. Of hij moest hier niet meer komen. Maar hij had zijn zusje zo lang moeten missen dat hij dat niet kon opbrengen. Als hij volgend jaar naar Israël vertrok, zou hij haar weer een lange tijd niet zien. En Jozef wist intussen dat je de familie die je had, in ere moest houden. Dat werd regelmatig herhaald in de kringen waarin hij verkeerde. De meesten van hen hadden nauwelijks meer familie. Leandra was als een soort geschenk tot hem gekomen. Hij wilde haar nooit meer uit het oog verliezen. Maar het was niet de manier dan maar iets met Clara Terschegge te beginnen. Zij was totaal zijn type niet. Ten eerste ging zijn voorkeur toch uit naar een meisje van joodse afkomst. Vaak moest Jozef denken aan zijn lieve zachtaardige moeder. Zo'n soort meisje. Maar lief en zachtaardig waren bepaald geen eigenschappen die op Clara van toepassing waren. Zij was vaak kribbig en had altijd haar antwoord klaar. Daarbij mocht ze Leandra niet, en dat was toch wel een eerste vereiste. Nee, Clara zou zeker niet degene zijn aan wie hij zijn hart verloor. Soms dacht hij erover iemand mee te nemen hierheen, een van de meisjes die hij kende, zodat ze zou denken dat hij een ander had. Maar dat was tegenover zo'n meisje niet fair. Jozef wist overigens heel goed dat de meeste jongens van iets dergelijks niet zo'n probleem zouden maken. Maar hij leefde niet zo slordig. Alle gebeurtenissen uit het verleden hadden ervoor gezorgd dat hij zorgvuldig met mensen omging.

Clara kon natuurlijk niet in slaap komen. Dit was dus geen goed idee geweest. Ze zou iets anders moeten verzinnen. Misschien zou hij morgen weer mee willen naar het dorp. Ze zou dan niet zo snel moeten vertrekken. Hij zou dan kunnen zien dat er heus wel jongens waren die haar leuk vonden. Misschien gingen zijn ogen dan open, en werd hij jaloers.

Toen Clara het de volgende dag voorstelde, waren Maarten en Leandra er ook bij. De laatste was meteen enthousiast. 'Ja, laten we dat doen, Maarten. Ik ben daar nooit geweest. Veel mensen denken nog steeds dat ik niet kan praten. Ik wil weleens zien hoe het daar gaat. Als we hier gaan wonen, moet ik de mensen ook leren kennen.'

Maarten bromde iets, maar stemde uiteindelijk toe. Hij wist wel zeker dat het niets zou zijn voor Leandra. Maar hij kon haar nu eenmaal niets weigeren. En hij was er ook wel trots op dat iedereen nu zou weten dat ze bij elkaar hoorden.

Clara vond het niet prettig dat haar broer en Leandra mee zouden gaan. Zo zou ze Jozef geen moment voor zichzelf hebben. En ze was van plan het hem nu te zeggen. Ze zou hem vertellen dat ze verliefd op hem was. Misschien kon ze Maarten een teken geven dat hij hen alleen liet.

In het café was dezelfde groep als de vorige dag. Het was opvallend dat er wel veel naar hen werd gekeken, maar dat niemand toenadering zocht. Ze hielden hier niet van vreemden. Ze dachten nu natuurlijk dat Jozef en Clara bij elkaar hoorden. Maarten hield voortdurend Leandra's hand vast.

Men keek ook naar haar. Ze was ook een mooi meisje, moest Clara met tegenzin toegeven. Met haar fijne gezichtje en lange zwarte haar was ze heel anders dan de meisjes hier, inclusief zijzelf.

Clara boog zich wat dichter naar Jozef, die zei: 'Ik heb het hier wel gezien. Ik ga terug naar de boerderij.'

'Ik denk niet dat Maarten ook al gaat. Dan moet je gaan lopen.'

'Nou en? Ik kan lopen.' Hij knikte haar toe, wrong zich tussen de mensen door en verdween.

Clara aarzelde een moment, maar ging hem dan achterna. Ze haalde hem al snel in.

Jozef keek even opzij, maar zei niets.

'Heb je een hekel aan mij?' flapte ze eruit.

'Helemaal niet. Waarom zou ik? Zo goed ken ik je niet.'

'Maar je kunt mij toch leren kennen. Ik vind jou heel aardig. Meer dan aardig. Ik denk hele dagen aan jou en...' Jozef bleef staan. 'Luister eens, Clara. Jij denkt dat je verliefd op mij bent.'

'Dat weet ik wel zeker,' zei ze heftig terwijl ze hem bij zijn arm greep.

Hij slaakte een zucht. 'Als ik ooit de indruk heb gewekt dat ik op die manier iets voor jou voel, was dat een grote fout van mij. Het spijt me echt. Wij zouden totaal niet bij elkaar passen. Je moet je aandacht echt op iemand anders richten. Ik heb straks een taak in Israël. Dan heb ik geen tijd en aandacht voor een vrouw. Niet voor jou noch voor welke vrouw dan ook. Trouwens, je bent nog maar achttien, als ik het goed heb. Waarom loop je zo achter mij aan?' Jozef zweeg. Dat laatste had hij niet moeten zeggen. 'Het spijt me,' zei hij nog eens.

'Vind je dat ik achter je aan loop?' vroeg ze.

'Niet dan?'

Clara zei niets. Ze draaide zich om en holde terug.

Jozef keek haar even na en liep dan schouderophalend verder. Maarten was daar nog; ze kon met hem meerijden, dacht Jozef. Hij wist echter niet dat Maarten inmiddels ook vertrokken was. Hij was ervan uitgegaan dat Clara met Jozef naar huis was.

Clara was tussen een aantal jongens aan de bar gaan zitten en nam wat te drinken aan. Ze dronk nooit bier, en bepaald lekker vond ze het niet. Na een paar slokjes schoof ze het glas van zich af. De jongens lachten.

'Er zit een borrel bij. Daar word je vrolijk van,' zei een van hen. 'Dat heb je volgens mij nodig. Hij heeft je laten zitten, is het niet?'

'Geen sprake van,' antwoordde ze kortaf.

'Waarom houd je het niet bij jongens uit de buurt?'

'Ik hoef geen jongens. Binnenkort ga ik het huis uit. Dan ga ik studeren.'

'Aha. Wij zijn te min.'

'Ik weet in ieder geval zeker dat ik nooit op een boerderij wil wonen,' zei ze. Ze gleed van haar kruk. 'Ik ga naar huis.'

'Maar je gaat toch niet alleen dat end?'

'Waarom niet?' Ze keek om zich heen. Ze wilde niet dat ze met haar meeliepen.

Ineens zag ze Paul Storm zitten. Hij was blijkbaar net binnen. Ze duwde een paar jongens opzij en ging naar hem toe.

Paul trok verbaasd zijn wenkbrauwen op.

'Wil jij me thuisbrengen?' vroeg Clara.

'Hoe ben je hier dan gekomen?' vroeg hij niet al te toeschietelijk.

'Samen met Maarten en Leandra. Maar zij zijn blijkbaar al weg.'

'Nou goed dan.' Paul stond op en rekende af bij de bar.

Clara hoorde enig verontwaardigd gemompel van enkele jongens, en opeens werd ze bang. Er waren erbij die duidelijk te veel hadden gedronken. Het gebeurde weleens dat hier een vechtpartij was. Ongeduldig wachtte ze tot Paul zijn jas aanhad.

'Waar staat je auto? Laten we opschieten,' zei ze zenuwachtig.

Een bierglas vloog rakelings langs Pauls hoofd, en hij bleef staan. 'Laat dat,' riep hij boos.

'Ga nou mee,' joeg Clara hem op.

Paul was geen vechtersbaas en liep door, maar moest blijven staan toen een van de jongens hem vastgreep. 'Hé, waarom haal jij je meisje niet uit de stad waar je vandaan komt?'

Paul rukte zich los en kreeg een stomp op zijn oog. Ineens kwam Clara in actie. Ze vloog op de jongen af en hing schreeuwend aan zijn arm. Ze liet niet los, hoe de jongen ook probeerde zich vrij te maken.

'Weet je niet dat zijn vader joden heeft verraden?' schreeuwde de jongen. 'Hij was een vriend van de vijand. Nou, de zoon zal wel niet veel beter zijn, denk je ook niet?'

In een flits zag Clara Pauls verslagen gezicht. Woede gaf haar nog meer kracht. Ze slingerde de jongen met zo'n vaart van zich af dat hij zijn evenwicht verloor en languit op straat viel. Dan liep ze met Paul naar de auto en stapte in.

Paul startte meteen en reed met een vaart weg.

Ze zag dat er een straaltje bloed uit zijn neus liep. 'Het spijt me heel erg. Het was mijn schuld,' zei ze.

Hij antwoordde niet. Zijn gezicht stond verbeten.

Ze waren snel thuis, waar hij de auto stilzette voor het hek.

'Ga maar mee,' zei Clara. Je kunt zo niet terugrijden naar de stad.'

Hij had zijn hoofd op het stuurwiel gelegd.

Voorzichtig raakte ze zijn schouder aan. 'Doet het pijn?' vroeg ze zacht.

'Meer aan de binnenkant dan vanbuiten. Als ik ooit mocht denken dat ik het verleden van mijn vader achter mij kan laten, vergis ik mij. Dit bewijst maar weer eens dat dat nooit zal gebeuren. Daarom kan ik ook niet met Jozef mee naar Israël. Daar zal het nog erger zijn.'

'Jozef is niet zo,' meende Clara zeker te weten.

'Dat weet ik. Maar er zijn genoeg anderen. En de woede om verraad is toch begrijpelijk?'

'Nou, ik ben in ieder geval blij dat je niet naar Israël gaat,' zei Clara. 'Ik ga ook niet. Ik heb net besloten dat ik verder ga studeren. Afdelingshoofd in een ziekenhuis lijkt me wel wat.'

'Het is altijd prettig te weten wat je met je leven gaat doen,' zei Paul. Hij reed de auto tot vlak bij de deur.

'Blijf nou maar slapen,' zei Clara nog eens. 'Je moet niet alleen naar huis gaan.'

Dit was voor Clara's doen ongewoon sociaal, maar ze had heel erg met Paul te doen.

Paul sloot de auto af en stapte uit.

'Dan zijn we morgenochtend allemaal samen,' zei Clara.

Toen ze op haar kamer was, kwamen die woorden terug. De gedachte dat iedereen er zou zijn, gaf haar een goed gevoel. Eén grote familie. Het was lang geleden dat ze zo had gedacht. Wel vreemd dat ze Jozef het laatste uur gewoon was vergeten, terwijl ze toch verliefd op hem dacht te zijn. Was dat wel echt zo? Ze kenden elkaar nauwelijks. Daar had Jozef natuurlijk gelijk in. Ze dacht eraan hoe ze Paul had verdedigd. Eigenlijk kende ze hem al veel langer. Het was allemaal erg ingewikkeld. Ze hoopte dat ze Paul niet uit het oog zou verliezen.

De volgende morgen dronken ze inderdaad gezamenlijk koffie.

Clara keek eens van de een naar de ander en ze dacht: dit is mijn familie. Ze merkte een zekere waardering voor deze hardwerkende mensen. Haar blik gleed van Jozef naar Paul en terug. Alle twee hadden ze een oorlogsverleden, maar het leek erop dat Jozef het beter had verwerkt. Door de mensen om hem heen was Paul er iedere keer opnieuw mee geconfronteerd. Misschien kon zij hem helpen. Als zij liet merken geen problemen te hebben met zijn verleden, zouden ook anderen misschien inzien dat het niet zijn fouten waren, maar die van zijn vader.

'Hoe kom je aan dat blauwe oog, Paul?' vroeg Ditte.

'Het was een beetje een gedoe bij dat café in het dorp,' zei hij luchtig.

'Het was mijn schuld,' zei Clara. 'Ik heb hen min of meer uitgedaagd. En toen begonnen ze over Pauls vader. Ik vraag me af hoe ze dat te weten zijn gekomen. Het is tien jaar geleden. Wij waren allemaal nog kinderen.'

'Het blijft me achtervolgen,' zei Paul somber.

'Je moet proberen er boven te staan,' zei Jozef nu.

'Wij nodigen Paul uit op onze bruiloft,' zei Leandra plotseling. 'Ze weten dat ik joods ben, en dan zullen ze begrijpen dat wij hem niets kwalijk nemen.'

'Dank je,' zei Paul zacht.

'Het is niets,' antwoordde Maarten.

'Alle kleine beetjes helpen,' liet Leendert zich plotseling horen. 'Vele kleine korrels zand vormen saam het brede strand.' Het waren regels uit een oud versje dat niemand kende.

212

Toen Jozef aanstalten maakte om te vertrekken, volgde Clara hem naar de gang. 'Je gaat toch niet weg om mij?' vroeg ze. 'Ik heb me aangesteld. Het spijt me.'

'Nou, zo erg was het niet. Je hebt Paul echt gezien, is het niet?'

'Misschien.'

'Ik hoop het voor jullie beiden. Paul is erg alleen.'

Ze had zich zelf ook vaak alleen gevoeld, dacht Clara. Pas nu had ze ingezien dat deze hele familie ook bij haar hoorde, en dat zij zelf echt contact uit de weg was gegaan. En Paul? Wie weet. Het was nog te vroeg om daar iets van te zeggen. Ze wist niet of ze elkaar gelukkig konden maken. Maar haar gevoel zei haar dat ze een goede kans maakten.

Toen Paul naar buiten kwam om afscheid te nemen van Jozef, glimlachte ze naar hem. Ze zag zijn ogen oplichten. Ja, die kans was er zeker.

Toen haar ouders er ook bij kwamen, zag Clara dat ze elkaar bij de hand hielden. En dat was meer dan ze in lange tijd had gezien. Het leek erop dat ook zij weer samen verder wilden.

Clara Terschegge keek om zich heen. De velden waren kaal, de wind was koud, de winter was nu heel dichtbij. Maar het werd vast een warme winter, na dit veelbewogen jaar.